ROBERT RICHTER
EBERHARD SCHÄFER

Das **Papa**-Handbuch

Alles, was Sie wissen müssen zu **Schwangerschaft, Geburt** und dem **ersten Jahr zu dritt**

Inhalt

Inhalt

Die erste Zeit zu dritt – ein schöner Kraftakt!

Spiel und Spaß für Papa und Baby

Eltern werden, Paar bleiben

Väter zwischen Familie, Beruf und Freizeit

Zum Nachschlagen

Ich glaube, **Kinder** zu haben
ist das aufregendste **Abenteuer**,
das wir **erleben** können.
Es ist der **schwerste** Beruf
und die **größte** Herausforderung,
die ich mir **denken** kann, und
die **glücklichste** Erfahrung zugleich.
Ich bin **dankbar** dafür!

[Reinhard Mey | *deutscher Liedermacher*]

Vorwort

Sie werden Vater, wie wunderbar! Sicher sind Sie voller Vorfreude, gehen nun aber auch mit zahlreichen Fragen und Gedanken schwanger.

Viele werdende Väter wollen ihr Kind und ihre Partnerin von Anfang an ganz bewusst begleiten. Das erleben wir als engagierte Väter und Kursleiter in der Geburtsvorbereitung und der Bildungsarbeit mit Vätern und Kindern immer wieder.

Wie Sie Ihren eigenen Weg als aktiver Vater finden, erfahren Sie in diesem Buch, in dem wir Ihnen viele Fragen rund um Schwangerschaft, Geburt und die erste Zeit mit Ihrem Kind beantworten werden.

Wir wünschen Ihnen von Herzen alles Gute und viel Freude auf Ihrem Weg als Vater.

Robert Richter

Eberhard Schäfer

1 Bewusst Vater werden, aktiv Vater sein

→ Schwangerschaft, Geburt und Kindererziehung werden für Männer immer wichtiger – das ist gut so! Männer von heute erleben ihr Vaterwerden bewusst mit. Sie beteiligen sich aktiv an der Erziehung ihrer Kinder und sind weit mehr als »Assistenten«.
Wie wichtig Ihre intensive Zuwendung für die Entwicklung Ihres Kindes ist, erfahren Sie im folgenden Kapitel.

Engagierter Vater – glückliches Kind

Immer mehr Männer wollen ihrem Kind ein liebevoller Begleiter und präsenter Ansprechpartner sein. Sie wollen von Anfang an eine INTENSIVE BEZIEHUNG zu ihrem Kind aufbauen und diese aktiv gestalten. Das ist nicht immer leicht, macht aber sehr viel Spaß.

Zwischen neuer Väterlichkeit und alter Versorgerrolle

Viele Väter sind bereit, ihre Arbeitszeit zugunsten der Familie zu reduzieren – doch unsere wenig familienfreundlichen Arbeitsbedingungen lassen dies noch selten zu. So tragen die meisten Männer nach wie vor die Verantwortung als ERNÄHRER DER FAMILIE. Das macht es ihnen schwer, aber zum Glück nicht unmöglich, ihre Wünsche nach mehr Engagement in der Familie umzusetzen (→ ab Seite 158).

Mehrfachbelastungen, die sich aus der Vereinbarkeit von Familie, Beruf, Partnerschaft und Freizeit ergeben, sind also schon lange kein reines Frauenthema mehr!

Wollen Männer allen gesellschaftlichen Widrigkeiten zum Trotz die Erziehung und Begleitung ihrer Kinder aktiv, partnerschaftlich und praktisch in die Hand nehmen, können sie Unterstützung gut brauchen: von ihrer Partnerin, von Verwandten und Bekannten – und einem Ratgeber wie diesem. Denn AKTIVES VATERSEIN LOHNT SICH – für Sie selbst, für Ihre Partnerin und vor allem für Ihr Kind (→ Seite 11).

Es lebe der Unterschied!

Wenn Männer sich mehr und mehr auf einem Gebiet engagieren wollen, das bis vor kurzem fast ausschließlich Frauensache war, dann ist es kein Wunder, dass es bei beiden Geschlechtern **STARTSCHWIERIGKEITEN** geben kann. Männer sind häufig noch unsicher, welche Aufgaben sie übernehmen können. Viele Frauen spielen in diesem Spiel den passenden Gegenpart: Sie tun sich schwer, die aktive Sorge um Säugling und (Klein-)Kind abzugeben. Haben sie auch nur den leisesten Zweifel an den (Erziehungs-)Kompetenzen ihres Partners, dann heißt es schnell »Ach, lass mich das machen«.

Aber: Was Männer als aktive Väter brauchen, ist das **SELBSTVERTRAUEN** und die Chance, einen eigenen Weg im Umgang mit Kindern zu gehen. Denn Väter bringen **EIGENE QUALITÄTEN**, Fähigkeiten und Herangehensweisen in die Erziehung ein. Väter fördern ihre Kinder anders als Mütter. Nicht besser, nicht schlechter – einfach anders! Die Kinder profitieren von diesen Unterschieden.

» Wenn ich Zucker und Milch in den Kaffee möchte, ist das nicht dasselbe, wie wenn ich zwei Stück Zucker und keine Milch bekomme. «

[Penelope Leach | *britische Entwicklungspsychologin*]

Väterforschung: Fakten, Fakten ...

Väter wurden lange Zeit in Familienforschung und Entwicklungspsychologie kaum beachtet. Der Vater war der Ernährer der Familie, und das war's. Die Vater-Kind-Beziehung schien weder der Rede noch der

Forschung wert. Wie wichtig Väter über die materielle Versorgung hinaus für die gesamte Familie sind, damit befasst sich die Forschung erst seit etwa 25 Jahren.

Die Ergebnisse sind erstaunlich[1]. Kurz zusammengefasst lässt sich sagen: KINDER BRAUCHEN VÄTER, UM SICH OPTIMAL ENTWICKELN ZU KÖNNEN – Väter, die eine enge emotionale Bindung zu ihren Kindern aufbauen, und das möglichst früh.

Wenn beide Eltern sich um das Kind kümmern, kann und muss es sich von Anfang an mit zwei verschiedenen Menschen auseinander setzen – mit zwei verschiedenen Arten, versorgt und gefördert zu werden sowie Grenzen gesetzt zu bekommen. So setzt sich in der Forschung mehr und mehr die Einschätzung durch, dass der Einfluss des Vaters auf das Kind größer ist, wenn sich sein Verhalten in Erziehung und Versorgung von dem der Mutter unterscheidet. Für Kinder ist es also gut, dass Väter und Mütter unterschiedlich sind. Versuchen Sie deshalb nicht, die bessere Mutter zu sein. Entwickeln Sie Ihren EIGENEN STIL. Trauen Sie sich, denn die Forschung beweist, dass sich Väter genauso gut um ihr Baby kümmern können wie Mütter.

Väter sind nicht besser oder schlechter als Mütter

- Männer sind emotional von ihrem neugeborenen Baby ebenso bewegt wie Frauen. Herzfrequenz, Blutdruck und Hautreaktionen – wie etwa die Schweißproduktion – verändern sich bei Vätern beim Anblick ihres weinenden oder lächelnden Babys genauso wie bei Müttern.
- Wenn Väter ihr Baby füttern, sind sie sehr aufmerksam. Sie reagieren »richtig« auf sein Bedürfnis, eine kurze Pause beim Trinken zu machen, und erfassen EBENSO INTUITIV, wann das Baby genug getrunken hat. Auch wenn Babys spucken müssen, reagieren Väter fast immer rechtzeitig.

- Wenn ihr Baby weint und sich unwohl fühlt, nehmen sie es intuitiv auf den Arm, tragen es und sprechen mit ihm. Und: Väter tun das häufiger, wenn die Mütter nicht da(bei) sind.
- Väter, denen Forscher die Augen verbunden hatten, fanden ihr eigenes Baby unter vielen innerhalb einer Minute heraus, indem sie seine Hände ertasteten und erspürten.

Allerdings konnten doppelt so viele Mütter wie Väter ihr Baby erkennen, indem sie dessen Gesicht berührten. Forscher vermuten, dass dies daran lag, dass die Mütter doppelt so viel Zeit mit ihrem Baby verbracht hatten als die Väter.

Je mehr Zeit Sie mit Ihrem Kind verbringen – desto besser kennen Sie es, und desto intensiver wird Ihre Beziehung sein!

Ideale Voraussetzungen, sich zu kümmern

Natürlich helfen Ihnen gute Rahmenbedingungen dabei, eine intensive Beziehung zu Ihrem Kind aufzubauen:

- Väter, die sich gut auf die Geburt ihrer Kinder vorbereitet haben, kümmern sich mehr um sie als diejenigen, die »nebenher« Vater geworden sind. Die Geburt des eigenen Kindes mitzuerleben ist also ein **PRÄGENDES ERLEBNIS**. Es schafft eine enge Verbindung sowohl zwischen Vater und Kind als auch zwischen Vater und Mutter.
- Väter und Mütter brauchen **GEGENSEITIGE UNTERSTÜTZUNG**, um sich mehr um ihr Kind kümmern und mehr Zeit mit ihm verbringen zu können. Wenn sich beide Eltern viel gemeinsam um das Kind kümmern, beschäftigt sich der Vater auch öfter allein mit ihm.
- Gleichberechtigte Paarbeziehung – gute Vater-Kind-Beziehung! Spätestens ab dem Kleinkindalter gilt: Väter aus Familien, in denen beide Eltern berufstätig sind, haben eine engere Beziehung zu ihren Kindern als Väter, deren Partnerin nicht berufstätig ist.

- Es ist außerdem erwiesen, dass Väter, die in ihrer PAARBEZIEHUNG GLÜCKLICH sind, eine bessere Beziehung zu ihren Kindern haben als Väter, die in unglücklichen Paarbeziehungen leben.

Ihr positiver Einfluss auf Ihr Kind

Ihr Einsatz und Ihre emotionale Beteiligung am Leben Ihres Kindes sind dauerhaft von Bedeutung. Ihr väterliches Engagement wirkt sich auch eine Generation später positiv aus. Sie bieten Ihrem Kind einen GUTEN START, von dem es lebenslang profitieren wird.

- Väter spielen – tendenziell – wilder und körperlicher mit ihren Kindern. Sie überraschen Kinder mit unvorhergesehenen (Spiel-)Situationen und konfrontieren sie so mit Neuem. So lernen Kinder, in ungewohnten Situationen schnell zurechtzukommen.
- Kinder von engagierten Vätern sind im Alter von neun Monaten anderen Kindern in der ENTWICKLUNG DEUTLICH VORAUS.
- Fünfjährige Kinder mit einer sehr vertrauensvollen Beziehung zu ihrem Vater sind selbständiger, kompetenter und weniger ängstlich als Kinder, denen diese Beziehung zum Vater fehlt.
- Kinder von Vätern, die sich um deren schulische Belange kümmern, haben bessere Noten und eine positivere Einstellung zur Schule.
- Söhne, die mit ihren Vätern viel körperlich spielen und deren Väter einen partnerschaftlichen Erziehungsstil pflegen, werden später sehr beliebte Jungen; Söhne von autoritären Vätern sind weniger beliebt.
- Kinder mit enger und vertrauensvoller Beziehung zum Vater tendieren als Jugendliche WENIGER ZU DROGENKONSUM.
- Kinder mit einer intensiven Vater-Kind-Beziehung sind in ihren späteren Paarbeziehungen deutlich zufriedener als Kinder, die eine solche Beziehung nicht hatten.

KURZ: KINDER, DIE MIT EINEM AKTIVEN VATER AUFWACHSEN, SIND IM VERLAUF IHRES LEBENS GLÜCKLICHER ALS DIE, DIE IHN NUR AUS DER FERNE KENNEN.

Neun Monate, die es in sich haben

→ Vaterwerden ist eine der schönsten Herausforderungen im Leben eines Mannes! Mit der Schwangerschaft ihrer Partnerin sind viele Männer gedanklich auch schwanger und fahren mit ihren Gefühlen Achterbahn. Fahren Sie mit! Wir begleiten Sie und zeigen Ihnen, wie Sie sich optimal und mit Freude auf die Ankunft Ihres Kindes vorbereiten können.

Wann Sie merken,
dass Sie Vater werden

2

Wenn Sie dieses Buch lesen, wissen Sie wahrscheinlich bereits seit einiger Zeit, dass Sie Vater werden. Aber, faktisches Wissen und gefühlsmäßiges Begreifen, das sind meist zwei Paar Schuhe. So berichten Männer oft von ganz unterschiedlichen Zeitpunkten, an denen sie wirklich gespürt haben, dass sie Vater werden.

Einige haben bereits beim Sex das intensive Gefühl, jetzt gerade ein Kind zu zeugen. Andere sind beim Blick auf den **POSITIVEN SCHWANGERSCHAFTSTEST** zutiefst berührt. Wieder andere Männer sind bei den ersten Ultraschallbildern ganz hin und weg – »das ist mein Kind!« Sehr viele erleben die Bewegungen ihres Kindes im Bauch der Mutter als den entscheidenden »Kick« zu ihrem Vater-Bewusstsein.

Spätestens bei der Geburt ihres Kindes platzt der Knoten endgültig. Bei seinem Anblick bleibt meist kein Vaterauge trocken. Egal, an welcher Stelle Sie in der **KONTAKTAUFNAHME** mit Ihrem Kind stehen: Nehmen Sie sich viel Zeit, in Gedanken bei ihm zu sein. In diesem Kapitel laden wir Sie herzlich ein, die Schwangerschaft und das Wachsen Ihres Kindes aktiv mitzuerleben und sich auf seine Geburt und Ihr Vatersein vorzubereiten.

» Kinder sind die wirklichen Lehrmeister des Lebens. «

[Peter Rosegger | *österreichischer Schriftsteller (1843–1918)*]

Himmelhoch jauchzend – zu Tode betrübt

Die Schwangerschaft ist eine Zeit ständiger Veränderungen. Nicht nur der Bauch Ihrer Partnerin wächst. Sie beginnen mit dem »NESTBAU«, räumen Ihre Wohnung oder Ihr Haus um und richten vielleicht schon ein Kinderzimmer ein. Neben diesen äußeren Veränderungen sind die 40 Wochen bis zur Geburt Ihres Kindes aber auch eine Zeit gefühlsmäßiger Achterbahnfahrten – zwischen freudiger Erwartung und massiven »Bauchschmerzen«.

Männer auf Wolke sieben

Für die meisten Männer ist das Gefühl, bald ein Kind zu bekommen, phantastisch. Vater zu werden empfinden viele als BEREICHERUNG, die es erlaubt, selbst wieder spielen zu dürfen, auf allen vieren durch die Wohnung zu krabbeln, zu schmusen, zu toben und zu kuscheln – eben selbst wieder Kind sein zu können.

Ein Kind bringt mehr Bedeutung und VERBINDLICHKEIT für die Paarbeziehung und das ganze Leben. Es gibt dem Leben einen anderen Sinn. Es macht Sie unendlich wichtig. Und es ermöglicht Ihnen, etwas von sich weiterzugeben.

Selbst für die, denen kein bestimmter Grund einfällt, sich für Kinder zu entscheiden, gehören sie doch irgendwie zum Leben dazu. Es scheint also natürlich zu sein, Kinder in die Welt zu setzen. Manchmal erfüllt Vaterwerden auch »nur« den sehnlichsten Wunsch der Partnerin nach einem Kind oder scheint die Erwartung des sozialen Umfeldes zu sein. Egal aus welchem Grund: Die meisten Männer sind GLÜCKLICH UND ZUFRIEDEN, Vater zu werden.

»Bauchschmerzen« werdender Väter

Trotzdem quälen sich viele werdende Väter auch mit weniger erfreulichen Gedanken, die sie mit dem Übergang vom Mann zum Vater verbinden. Und auch das ist ganz normal – schließlich bleiben Sie ein Leben lang Vater. Einfach »nach Hause gehen«, »kündigen« oder »aussteigen« geht da nicht. Väter tragen eine **GROSSE VERANTWORTUNG**, die sie mit einer Reihe von Fragen konfrontiert.

2

Fragen über Fragen

- Ist **JETZT** der richtige Zeitpunkt für mich, Vater zu werden?
- Bin ich noch zu jung oder schon zu alt dafür?
- Wie sehr schränkt ein Kind mein Leben, meine Freiheit ein?
- Wird mein Kind gesund und normal entwickelt geboren werden?
- Werden meine Partnerin und mein Kind die Schwangerschaft und die Geburt gut überstehen?
- Kann ich mir/können wir uns Kinder leisten – zeitlich und finanziell?
- Wie werden sich unsere Beziehung und meine Persönlichkeit sowie die meiner Partnerin verändern?
- Wird sich meine Partnerin körperlich verändern?
- Wird sich unsere Sexualität anders entwickeln?

Zum Vaterwerden gehören also neben der großen Freude auf das Leben mit Kind auch viele Sorgen und Befürchtungen. Damit ist Vaterwerden eine höchst **SPANNUNGSREICHE LEBENSPHASE**.

Reden ist Silber – Schweigen ist Schrott!

Zwischen Freude und Sorgen hin- und hergerissen zu sein ist ganz normal – Ihrer Partnerin wird es wahrscheinlich ähnlich gehen wie

Ihnen. Reden Sie mit ihr über das, was sich für Sie beide verändern kann, wenn Ihr Kind geboren ist. Auch wenn es Ihnen vielleicht schwer fällt, ihr Ihre Befürchtungen mitzuteilen: REDEN HILFT – FAST IMMER. Es entlastet und befreit.

Viele Anregungen, wie Sie die Geburt Ihres Kindes als Chance für sich und Ihre Beziehung zu Ihrer Partnerin nutzen können, bekommen Sie ab Seite 136.

Sie können jedoch schon in der Schwangerschaft beginnen, Ihre Freuden, Wünsche, Erwartungen und Befürchtungen zu teilen. Wenn Sie viele Zweifel oder Ängste umtreiben, kann es hilfreich sein, sich auch GESPRÄCHSPARTNER AUSSERHALB IHRER PAARBEZIEHUNG zu suchen. So können Sie offen reden, ohne Ihre Partnerin zu belasten. Wenn Sie lieber anonym über Ihre Situation sprechen möchten, gibt es auch – vor allem in größeren Städten – Beratungsstellen für Männer und Väter (→ Anhang, Seite 173). Beratungsstellen rund um Schwangerschaft und Geburt sind zwar meist auf Frauen ausgerichtet, wissen aber oft, wo (werdende) Väter kompetent beraten werden.

TIPP

Das kann Ihnen helfen

→ Reden Sie mit Ihrer Partnerin über Ihre Gedanken zu Ihrer Vaterschaft.

→ Suchen Sie den Austausch mit Männern, die bereits Väter sind. Was hat sich verändert, wie haben sie es gemeistert?

→ Vielleicht sprechen Sie auch mit Ihrem Vater darüber, wie er Ihre Geburt damals empfunden hat – durch das eigene Vaterwerden kann sich die Beziehung zu den Eltern auf wunderbare Weise verändern.

Ihr Kind entsteht – und Sie sind live dabei!

2

Ihre Partnerin ist schwanger – soviel ist klar! Aber, wie funktioniert es eigentlich, dass aus einem Ei und einer verschwindend kleinen Samenzelle ein richtiger Mensch wird? Verfolgen Sie die Reise Ihres Kindes mit. Hier ist Ihr SCHWANGERSCHAFTSFAHRPLAN:

1. Monat: Sie werden Vater!

Wenn Ei und Samenzelle zueinander gefunden haben, teilt sich die befruchtete Eizelle unaufhörlich. Sie nistet sich in der Gebärmutter ein und ist so mit ihr verbunden. An dieser Verbindung entsteht die Nabelschnur, die in der Plazenta (Mutterkuchen) endet. Über sie wird der Embryo mit Nährstoffen versorgt. Die Blutkreisläufe von Mutter und Kind bleiben dabei getrennt. Hat sich die »Zellkugel« eingenistet, bleiben die Regelblutungen Ihrer Partnerin aus – oft das erste SIGNAL FÜR EINE SCHWANGERSCHAFT. Herzlichen Glückwunsch! Sobald Sie wissen, dass Sie Vater werden, sollten Sie Ihre Partnerin bei körperlichen Tätigkeiten unbedingt entlasten. Getränkekästen, Einkaufs- und Wäschekörbe und alles über fünf Kilo Gewicht sind nun für die nächsten Monate reine Männersache! Gerade in den ersten Schwangerschaftswochen kann Überanstrengung zu Fehlgeburten und in den späteren Monaten zu Frühgeburten führen. Versuchen Sie auch, unnötigen STRESS ZU VERMEIDEN. Bereits zu diesem Zeitpunkt ist Ihr Kind sehr empfänglich für Gefühlsschwankungen seiner Mutter. Wenn Sie das Wachstum Ihres Kindes im Bauch seiner Mutter festhalten möchten, machen Sie mit Beginn der Schwangerschaft jede Woche ein Profil-Foto von Ihrer Partnerin, zum Beispiel im Türrahmen. Sie können die Bilder später aneinander legen oder kleben und so die Schwangerschaft im »ZEITRAFFER« nacherleben.

2. Monat: Es wächst und wächst ...

Zellteilung und Wachstum gehen mit rasanter Geschwindigkeit weiter. Ihr Kind ist jetzt etwa FÜNF MILLIMETER GROSS. Aus der »Zellkugel« wird ein Mensch: Wirbelsäule, Nervensystem und Gehirn wachsen, das Herz beginnt zu schlagen. Auch die Anlagen für Arme und Beine haben sich gebildet. Die Ansätze von Fingern und Zehen und die Konturen des Gesichts sind bereits zu erkennen. Der zweite Schwangerschaftsmonat ist auch die Zeit, in der viele Frauen mit Übelkeit zu kämpfen haben. Sie wird durch das Schwangerschaftshormon Progesteron ausgelöst. Bei den meisten Frauen legt sich die Übelkeit gegen Ende des dritten Schwangerschaftsmonats, bei manchen erst später. Schwangerschaftsübelkeit ist eine der ersten Begleiterscheinungen, die sich auf die Paarbeziehung auswirken können. RÜCKSICHTNAHME und Unterstützung sind angesagt, auch wenn's manchmal schwer fällt.

3. Monat: Kleine Außerirdische

Ihr Kind ist jetzt etwa so groß wie eine Kirsche – und: Es kann sich schon bewegen! Alles was ein Mensch an Organen und Körperteilen braucht, ist bereits vorhanden. Das Baby hat jetzt noch viel Platz in der Fruchtblase, von der es umgeben ist, und es turnt lebhaft und schwerelos im Fruchtwasser herum. Bei einer Ultraschalluntersuchung ist Ihr Kind nun schon gut zu sehen.

4. Monat: Zeit für einen Bauchnamen

In den ersten drei Monaten hieß Ihr Kind medizinisch »Embryo«. Ab jetzt wird es »FÖTUS« genannt – beides keine wirklich schönen Namen. Seien Sie kreativ und suchen Sie gemeinsam mit Ihrer Partnerin einen schönen »Bauchnamen« für Ihr Kind. Es ist jetzt ungefähr so groß wie ein Tischtennisball. Auf dem Ultraschall sind die Geschlechtsorgane bereits zu erkennen.

5. Monat: Reden Sie mit Ihrem Kind

Spätestens jetzt wird der »BAUCHNAME« wichtig. Das Gehör Ihres Kindes bildet sich aus. Es nimmt Stimmen, Geräusche und Musik von außen war. Es ist auch sehr empfänglich für die Stimmungen in seiner Umwelt und reagiert auf Stress und Entspannung seiner Mutter. Eine gute Zeit, Ihr Kind aktiv ins Familienleben einzubeziehen: Reden Sie mit ihm. Auch wenn es Ihre Worte noch nicht verstehen kann, hört es Ihre Stimme und merkt, dass Sie in Gedanken bei ihm sind. Wenn Sie schon jetzt beginnen, Kontakt zu Ihrem Kind aufzubauen, haben Sie es nach der Geburt leichter, sich aneinander zu gewöhnen.

6. Monat: Turnstunde, die erste!

Meist beginnen jetzt die ersten »Turnstunden«. Ihr Kind wird richtig aktiv und hat mittlerweile eine Größe, die Ihre Partnerin die Bewegungen mal mehr, mal weniger deutlich spüren lässt. Wer sich viel bewegt, muss auch viel schlafen – und das tut Ihr Baby meist dann, wenn es von Ihrer Partnerin bewegt wird. Ruht sie sich aus, kann es sein, dass Ihr Baby sich selbst bewegt. Das ist eine gute Gelegenheit für Sie, sich von außen an Ihr Kind heranzutasten, die Hände auf den Bauch Ihrer Partnerin zu legen und so mit ihm KONTAKT AUFZUNEHMEN. Ihr Kind sieht jetzt schon aus wie ein richtiger Mensch. Es hat einen dünnen Haarflaum auf dem Kopf und erste kleine Wimpern. Es kann am Daumen lutschen, husten und niesen.

7. Monat: Turnstunde, die zweite!

Ihr Kind wächst schnell. Es hat aber noch genügend Platz, um sich zu bewegen und Purzelbäume zu schlagen. Manchmal drückt es sogar einen Arm oder ein Bein so stark nach außen, dass es deutlich zu erkennen ist. Es ist oft nachts aktiv, so dass Ihre Partnerin wenig Schlaf bekommt und sich auch tagsüber öfter ausruhen muss. Ihr Kind legt schnell an GRÖSSE UND GEWICHT zu – und der Bauch Ihrer Partnerin wird immer runder.

8. Monat: Langsam wird's eng!

Ihr Kind kann jetzt bereits gut zwischen hell und dunkel unterscheiden. Es macht die Augen auf und zu. Aufgrund seiner Größe wird es nun in der Gebärmutter deutlich enger. Die meisten Babys liegen mit dem Po in der Nähe der Rippen ihrer Mutter: DIE GÜNSTIGSTE POSITION FÜR DIE GEBURT. Aber auch jetzt können sie ihre Lage noch ändern. Die Brüste Ihrer Partnerin stellen sich bereits auf das Stillen ein. Sie werden größer und produzieren schon Vormilch.

9. Monat: Von der Länge in die Breite …

In den letzten Wochen der Schwangerschaft nimmt Ihr Kind nicht mehr an Länge, dafür aber an Gewicht zu. Es bilden sich Fettpolster und Wassereinlagerungen, die es bei und nach der Geburt schützen. Das angesammelte Fett dient als KRAFTRESERVE für die erste Zeit nach der Geburt, bis die Muttermilch in ausreichendem Maß produziert wird. Damit hat die Natur für eine Gewichtsabnahme der Babys nach der Geburt bereits vorgesorgt. In den letzten Schwangerschaftswochen setzen die SENKWEHEN ein. Eine bis drei Wehen pro Stunde über den Tag verteilt helfen, das Kind in die richtige Geburtsposition zu bringen. Dabei rutscht der Bauch Ihrer Partnerin tiefer und sie kann wieder besser atmen. Dafür wird sie aber häufiger zur Toilette müssen, da das Kind nun verstärkt auf die Blase drückt. DANN IST ES BALD SO WEIT – Ihr Kind wird geboren. Wie sich die Geburt ankündigt, was dabei passiert und welche Rolle Sie dabei übernehmen können, erfahren Sie ab Seite 59.

TIPP

Spiel mit Ihrem Baby vor der Geburt

Mit dieser Übung können Sie durch den Bauch Ihrer Partnerin Kontakt mit Ihrem Kind aufnehmen, es kennen lernen und mit ihm spielen. Sie kann außerdem eine Wohltat für Ihre Partnerin sein, besonders, wenn sie an Rückenschmerzen leidet.

→ Setzen Sie sich bequem aufs Bett und lehnen Sie sich an. Ihre Partnerin setzt sich mit ausgestreckten Beinen zwischen Ihre Beine und lehnt sich an Sie. Legen Sie nun von hinten Ihre warmen Hände unter ihren Bauch. Stellen Sie sich Ihr Kind im Bauch Ihrer Partnerin vor, denken Sie fest an es – schicken Sie ihm in Gedanken Ihre ganze Liebe.

→ Nehmen Sie nun ganz langsam und vorsichtig das Gewicht des Bauches und Ihres Kindes in Ihre Hände auf, indem Sie den Bauch Ihrer Partnerin sehr vorsichtig anheben. Gehen Sie nur so weit, wie es Ihnen und Ihrer Partnerin angenehm ist. Versuchen Sie nun, mit leichtem Druck der ganzen Handflächen zu spüren, wie Ihr Kind liegt. Ist der Kopf rechts oder links, oben oder unten? Spüren Sie den Rücken oder die Beine?

→ Beginnen Sie nun auf einer Seite, den Druck leicht zu verstärken. Sie drücken Ihr Kind so ein wenig in die Körpermitte Ihrer Partnerin. Nach etwa zehn Sekunden lassen Sie mit dem Druck nach und geben Ihrem Kind wieder Raum, ohne jedoch den Kontakt zu ihm zu verlieren. Reden Sie dabei mit Ihrem Kind – in Gedanken oder auch laut –, laden Sie es ein, Ihrer Hand zu folgen. Mit ein wenig Aufmerksamkeit und Übung werden Sie bald merken, dass Ihr Kind den Bewegungen Ihrer Hände folgt, dass es mit Ihnen spielt.

→ Lassen Sie Bauch und Kind nun ebenso langsam wie beim Anheben wieder herab – je langsamer und gleichmäßiger, desto besser.

Schwangerschaft und Geburt – ein Väterthema!

Wie geht es Ihnen als Mann in einem Bereich, der sich fast komplett in Frauenhand befindet – mal abgesehen von den überwiegend männlichen Gynäkologen? Hoffentlich bleiben Ihnen Erlebnisse wie das folgende erspart.

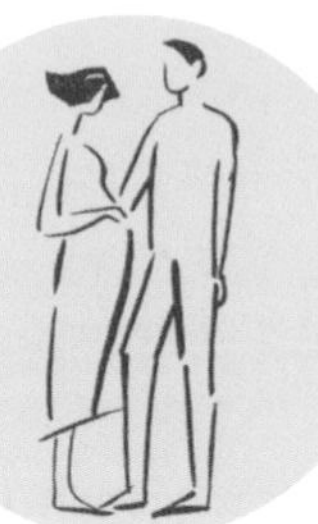

Erfahrungsbericht

Walter, 36, 2 Kinder:

Als meine Frau mit unserer Tochter schwanger war und ich zum ersten Mal Vater wurde, war ich glücklich und unsicher zugleich – aber hoch motiviert, mich so viel wie möglich einzumischen und zu engagieren. Also rief ich nach Absprache mit meiner Frau eine Hebamme an, die uns bei der Geburt begleiten sollte, um einen ersten Termin für ein Kennenlernen auszumachen. Wir machten uns begeistert auf zu unserer Verabredung in die Gemeinschaftspraxis mehrerer Hebammen und warteten.

»Unsere« Hebamme kam, begrüßte meine Frau und bat sie, mit ihr zu kommen, damit sie ihr die Räume zeigen konnte. Von mir war keine Rede, und ich war wie vor den Kopf gestoßen. Ich fühlte mich ignoriert, gekränkt und überflüssig. Irritiert trabte ich hinterher.

Das »gegenseitige« Kennenlernen und das Gespräch über den bisherigen Verlauf der Schwangerschaft und die Vorstellungen bezüglich der Geburt verliefen voll und ganz von Frau zu Frau – ich war irgendwie unsichtbar. Ich wollte nur noch raus aus dieser Situation. Gleichzeitig war ich zu schockiert, um meiner Frau signalisieren zu können, dass ich gehen will.

Als das Gespräch dann endlich zu Ende war, waren wir uns schnell einig: Eine Hebamme, die den werdenden Vater derart ignoriert, ist auf keinen Fall die richtige für uns!«

Klar, nicht Sie sind schwanger, sondern Ihre Partnerin. Und Sie werden Ihr Kind auch nicht gebären und nicht selbst stillen.

Aber das sind auch schon die einzigen Unterschiede! Nicht mehr – aber auch nicht weniger.

Hier sind ganz bestimmt auch Sie gefragt ...

Viele Fragen, Aufgaben und Entscheidungen rund um Schwangerschaft und Geburt gehen Sie sehr wohl etwas an.

Wenn Sie nicht nur bei der Zeugung, sondern auch bei Ihrer Geburt als Vater dabei sein wollen, dann sollten Sie sich schon jetzt Gedanken machen, wie Sie Ihren Übergang vom Mann zum Vater mitgestalten wollen. Deshalb ist es gut und wichtig, sich als werdender Vater aktiv Informationen zu beschaffen und alle **ENTSCHEIDUNGEN** rund ums Familiewerden mitzutreffen.

Im Laufe der Schwangerschaft ist eine Reihe von **VORSORGEUNTERSUCHUNGEN** geplant. Es wird geprüft, gemessen und kontrolliert, wie sich Ihr Kind entwickelt und ob es Mutter und Kind gut geht. Grund genug für Sie, sich aktiv zu beteiligen. Begreifen Sie sich und Ihre Partnerin ruhig als »gemeinsam schwanger« – gehen Sie zu möglichst vielen dieser Untersuchungen mit. Hier haben Sie Gelegenheit, alles aus erster Hand zu erfahren. Sie können dem Arzt Fragen stellen und sich erklären lassen, wie das Kind im Bauch liegt. Sie können es bei den Ultraschalluntersuchungen betrachten.

Leider gibt es immer noch Ärzte und Hebammen, die werdende Väter nicht von sich aus in die Gespräche einbeziehen. Suchen Sie also frühzeitig einen Arzt, bei dem Sie sich beide **GUT AUFGEHOBEN FÜHLEN**.

Doch auch was die Schwangere betrifft, richten sich die Fragen nach dem Befinden in der Regel auf körperliche Dinge. Die emotionalen, psychischen und sozialen Veränderungen, die werdende Eltern im Laufe der 40 Wochen Schwangerschaft durchleben, sind hier meist kein Thema. Deshalb erfahren Sie in diesem Buch mehr darüber.

Sehr angenehm kann es sein, zu (einem Teil der) Vorsorgeuntersuchungen zu einer **HEBAMME** zu gehen. Hebammen nehmen sich meist mehr Zeit und kommen teilweise zu den Untersuchungen zu Ihnen nach Hause. Ideal ist es, wenn Sie bereits relativ früh in der Schwangerschaft nach einer Hebamme Ihres Vertrauens Ausschau halten. Haben Sie bei der ersten Hebamme, die Sie kennen lernen, nicht das Gefühl, dass die »Chemie« stimmt, suchen Sie weiter. **INFORMATIONSGESPRÄCHE** mit mehreren Hebammen sind möglich und wichtig. Sie beide entscheiden, wie viel Hebammenhilfe Sie in Anspruch nehmen wollen. Das heißt, ob die Hebamme Ihre Partnerin und Sie nur vor und nach der Geburt betreut (→ Seite 92) oder ob sie auch die Geburt begleiten soll, sei es als **BELEGHEBAMME** in einer Klinik, in einem Geburtshaus oder bei einer Hausgeburt (→ Seite 25).

Achten Sie auch darauf, ob die Hebamme Sie als werdenden Vater einbezieht und Sie ernst nimmt. Wenn Sie sich nicht hundertprozentig aufgehoben fühlen, überlegen Sie mit Ihrer Partnerin, was für oder gegen

» Wie du dich auch entscheidest, entscheide mit deinem ganzen Herzen. «

[Konfuzius | *chinesischer Philosoph (551–479 v. Chr.)*]

Ihre Wahl spricht und ob Sie versuchen sollten, sich zu arrangieren oder ob Sie nach weiteren Hebammen Ausschau halten sollten. Grundsätzlich wird heute zwischen klinischer und außerklinischer Geburtshilfe unterschieden. Die AUSSERKLINISCHE GEBURTSHILFE umfasst die Hausgeburt, die Geburt in einem Geburtshaus oder einer Hebammen-/Arztpraxis. Die KLINISCHE GEBURT wird in einen stationären und ambulanten Aufenthalt unterschieden, sie kann die Möglichkeit beinhalten, mit einer Beleghebamme zu gebären.

Hilfe bei der Entscheidungsfindung

Ihre Partnerin und Ihr Kind sind bei der Geburt die Hauptpersonen. Deshalb ist in erster Linie wichtig, dass Ihre Partnerin sich wohl und sicher fühlt. Grundsätzlich gilt, dass bei Zweifeln die Entscheidung immer zugunsten der Sicherheit getroffen werden sollte. Informieren Sie sich umfassend. Gehen Sie zu Kreißsaalführungen, INFORMATIONSVERANSTALTUNGEN in Geburtshäusern und sprechen Sie mit Hausgeburtshebammen. Wenn Sie bereits früh in der Schwangerschaft damit beginnen, haben Sie ausreichend Zeit, die passende Entscheidung zu treffen. In der Tabelle auf Seite 30/31 finden Sie eine Übersicht der Vor- und Nachteile der jeweiligen Geburtsorte.

Klinikgeburt

In größeren Städten gibt es meist mehrere Geburtskliniken, unter denen Sie wählen können. Nehmen Sie an mehreren KREISSSAALFÜHRUNGEN teil und stellen Sie Fragen. Ein paar Anregungen, worauf Sie achten sollten, haben wir auf der folgenden Seite zusammengestellt.

Hausgeburt – Geburtshaus

Voraussetzung für Hausgeburten wie für alle außerklinischen Geburtsorte ist, dass die Schwangerschaft ohne Komplikationen verlaufen sein

Fragen für die Kreißsaalführung

- Wie sieht das Geburtszimmer/der Kreißsaal aus (freundliche Umgebung, breites Bett, Badewanne, Gebärhocker ...)?
- Wie viele Hebammen sind pro Schicht im Kreißsaal? Wie viele Geburten finden im Monat statt? So erfahren Sie etwas über die durchschnittliche Zahl der Gebärenden pro Hebamme und damit auch darüber, wie groß die Wahrscheinlichkeit ist, sich eine Hebamme mit anderen werdenden Eltern »teilen« zu müssen.
- Hat Ihre Partnerin die Möglichkeit, sich zu bewegen und aufrechte Haltungen einzunehmen, auch zur Geburt?
- Wie werden die Herztöne und Wehen überwacht? Ständig, nur bei Bedarf, verdrahtet oder kabellos? Dauernde, verkabelte Kontrolle schränkt die Bewegungsfreiheit Ihrer Partnerin stark ein.
- Welche Beteiligungsmöglichkeiten räumen Ihnen die Hebammen und Ärzte als Geburtsbegleiter und werdender Vater ein?
- Wie wird das Kind empfangen – bekommt Ihre Partnerin es direkt auf den Bauch gelegt oder wird es erst gebadet und angezogen?
- Wird gewartet, bis die Nabelschnur auspulsiert ist (sanfterer Übergang fürs Kind) oder wird sofort abgenabelt?
- Können Sie auch im Notfall bei einem Kaiserschnitt (→ Seite 74) dabei sein und sich direkt um Ihr Kind kümmern, wenn Ihre Partnerin noch in Narkose ist?
- Werden nach der Geburt Medikamente zur Plazenta-Ablösung gespritzt oder wird gewartet, bis die Plazenta sich von selbst löst?
- Gibt es die Möglichkeit, ein Familienzimmer zu bekommen, damit Sie nach einer Geburt mit anschließendem stationärem Aufenthalt bei Ihrer Partnerin und Ihrem Kind auch über Nacht bleiben können?
- Wie intensiv werden die Mütter zum Stillen angeleitet?
- Ist das Krankenhaus als »stillfreundlich« ausgezeichnet worden?

muss. Darüber hinaus gibt es bestimmte Ausschlusskriterien für eine außerklinische Geburt (etwa Steißlage, Zwillinge), die jede Hebamme ausführlich mit Ihnen besprechen sollte. Treten im Verlauf der Geburt Komplikationen auf – und das bemerkt eine erfahrene Hausgeburtshebamme meist recht früh –, verlegt sie die Geburt nach ihrer Einschätzung in ein Krankenhaus oder ruft bei Geburtshäusern, die mit einem Arzt zusammenarbeiten, diesen hinzu. Ob die Hebamme in der Klinik bei Ihnen bleiben kann, hängt davon ab, ob sie mit dem Krankenhaus einen Belegvertrag hat.

Eine **HAUSGEBURT** müssen Sie gut vorbereiten. Klären Sie mit der Hebamme, welche Utensilien nötig sind, und besorgen Sie diese. Außerdem sollten Sie mit der Hebamme schon vor der Geburt besprechen, in welchen Fällen sie eine Verlegung ins Krankenhaus anordnen wird. Für solche Fälle sollte auch bei einer geplanten Hausgeburt immer der Klinikkoffer (→ Seite 59) fertig gepackt sein.

Bei einer Hausgeburt oder im Geburtshaus ist ein deutlich **HÖHERES ENGAGEMENT** Ihrerseits gefragt als bei einer Geburt in einer Klinik – Ihre Partnerin braucht hier Ihre volle Unterstützung. Sollten Sie Zweifel haben, ob Sie diesen Anspruch erfüllen können oder wollen, sollten Sie gemeinsam überlegen, welche Ihnen vertraute Personen Sie bitten könnten, Sie zusätzlich bei der Geburt zu unterstützen. Wenn Sie sich Ihrer Sache nicht sicher sind, wäre es für Sie beide gut, den Geburtsort nochmals zu überdenken (→ Seite 53).

Beleghebammen

Beleghebammen sind freiberufliche Hebammen, die so genannte »**BELEGVERTRÄGE**« mit Kliniken haben. Es gibt Beleghebammen, die ins Schichtsystem einer Klinik eingebunden sind – dann unterscheidet sich die Betreuung durch sie in nichts von einer normalen Klinikgeburt – und solche, die in Rufbereitschaft für die Schwangere beziehungsweise die werdenden Eltern stehen.

Diese letztgenannte Variante kann eine echte Alternative sein, wenn Sie eine INDIVIDUELLE RUNDUMBETREUUNG durch eine Hebamme Ihrer Wahl haben möchten, auf die medizinische Sicherheit einer Klinik jedoch nicht verzichten wollen. Sie schließen mit einer Beleghebamme in der Regel einen Rufbereitschaftsvertrag ab, den Sie meist selbst bezahlen müssen. Damit ist sie normalerweise jeweils 14 Tage vor und nach dem errechneten Geburtstermin rund um die Uhr für Sie erreichbar. Wenn die Wehen beginnen, können Sie sie rufen und sie begleitet Ihre Partnerin und Sie zur Geburt in die Klinik.

Wenn Ihre Partnerin und Sie sich für eine außerklinische Geburt entscheiden, empfehlen wir Ihnen, sich möglichst eine Hebamme zu suchen, die einen solchen Vertrag mit einer Klinik hat – so stehen Ihnen alle Möglichkeiten offen. Häufig bieten Beleghebammen auch an, die Vorsorgeuntersuchungen in der Schwangerschaft zu übernehmen. So können Sie sich bereits vor der Geburt besser kennen lernen. Wir raten Ihnen jedoch, rund die Hälfte der Untersuchungen bei einem Frauenarzt durchführen zu lassen. Durch die nur hier möglichen Ultraschalluntersuchungen ist eine optimale Begleitung und MEDIZINISCHE KONTROLLE gewährleistet.

Beleghebammen finden Sie zum Beispiel über die Landes- und Bundesverbände der Hebammen (→ Anhang Seite 173). Beginnen Sie frühzeitig mit Ihrer Suche, spätestens in der 16. oder 17. Schwangerschaftswoche! Und fragen Sie Ihre Krankenversicherung, ob sie das Bereitschaftsgeld für die Beleghebamme übernimmt.

Sicherheit und Geborgenheit – Mensch und Technik

Hebammen und Ärzte berichten, dass werdende Väter oft größeren Wert auf Technik und deren Anwendung legen als werdende Mütter. Väter fragen öfter danach, was ein bestimmtes Gerät leistet und was die jeweilige Anzeige bedeutet.

Mütter vertrauen dagegen häufiger ihrer eigenen INTUITION und den anwesenden Fachleuten. Sie betrachten die Gerätschaften eher als Nebensache.

Nicht selten geschieht auch dies: Die Frau möchte eine Geburt möglichst ohne Einsatz von technischen Geräten, zum Beispiel zu Hause oder in einem Geburtshaus – der Mann aber ist dagegen.

Das väterliche Verantwortungs- und Fürsorgebewusstsein äußert sich also zuweilen als Bedürfnis nach technischer Kontrolle. Dabei überstimmen manche Männer ihre Partnerin bei der Wahl des Geburtsortes – Technik lässt sich sicherlich leichter »objektiv« einschätzen und beurteilen als Menschen und Situationen: TECHNIK ist entweder da oder nicht; sie ist »up to date« oder nicht.

TIPP

Der menschliche Faktor

→ Berücksichtigen Sie auch den menschlichen Faktor. Lernen Sie die bei der Geburt beteiligten Personen – Hebamme, Ärzte – kennen; schätzen Sie diese auch als Menschen ein. Sie sollten Ihr Vertrauen wecken, Sie sollten sich bei ihnen gut aufgehoben fühlen.

→ Wenn Sie sich nicht einig sind, sprechen Sie noch einmal mit Ihrer Partnerin über die Wahl des Geburtsortes. Ziehen Sie eventuell etwas stärker in Betracht, welchen Einfluss die Entscheidung auf die psychische und emotionale Befindlichkeit Ihrer Frau hat und welchen Einfluss diese wiederum auf den Verlauf der Geburt haben kann.

→ Egal, welchen Geburtsort Sie wählen, kümmern Sie sich, wenn Sie bereits Kinder haben, rechtzeitig darum, dass sie während der Geburt gut untergebracht sind.

Die Qual der Wahl

Um Ihnen zu helfen, Ihren Standpunkt zur Wahl des Geburtsorts zu finden, haben wir hier die wichtigsten Vor- und Nachteile der jeweiligen Möglichkeiten zusammengestellt. Der ausgefüllte Punkt ● bedeutet »trifft zu«, der halb ausgefüllte Punkt ◐ »kann zutreffen«. Die Punkte sind ausdrücklich nicht als Bewertung zu verstehen.

	Vorteile	klinisch		außerklinisch	
		stationär	ambulant	Hausgeburt	Geburts haus
medizinische Aspekte	Schnelle medizinische Hilfe	●	●		◐
	Breites Spektrum schmerzlindernder Medikamente	●	●		
	Angeschlossene Kinderklinik	◐	◐		
	Hebammen haben viel Zeit zur Betreuung (→ natürlicher Geburtsverlauf → weniger Komplikationen & Eingriffe)	◐	◐	●	●
	Geburt und Umgang mit Neugeborenen können vorab besprochen werden	◐	◐	●	●
bei der Geburt	Hebamme und Paar kennen sich bereits vor der Geburt → gut informiert, Vertrauen	◐	◐	●	●
	Keine Fahrten zum & vom Geburtsort			●	
	Vertraute Geburtsumgebung	◐	◐	●	◐
	Eigene Räume müssen nicht für die Geburt hergerichtet werden	●	●		●
	Krankenversicherung zahlt zwei Hebammen, die eine Gebärende/ein Paar betreuen			●	●
nach der Geburt/Bonding	Vater, Mutter und Kind sind von Anfang an zusammen (→ Bonding, Seite 80)	◐	●	●	●
	Geschwisterkinder können sehr früh Kontakt zum Baby knüpfen	◐	●	●	●
	Direkt nach der Geburt viel Ruhe (fördert u.a. den Milchfluss, Babys nehmen meist eher an Gewicht zu)	◐	●	●	●
	Jederzeit Hilfe im Umgang mit dem Baby (◐ wenn Hebamme ständig erreichbar)	●	◐	◐	◐
	Jederzeit Unterstützung beim Stillen (◐ wenn Hebamme ständig erreichbar)	◐	◐	◐	◐
	Schnell Kontakte zu anderen Eltern	●			
	Baby kann auch mal abgegeben werden	●			

2

	Nachteile	klinisch stationär	klinisch ambulant	außerklinisch Hausgeburt	außerklinisch Geburtshaus
Aspekte	Geringe medizintechnische Ausrüstung			●	●
	Vorsorgeuntersuchung (U2) selbst organisieren		●	●	●
	Erhöhtes Infektionsrisiko für Mutter und Kind durch erhöhtes Keimaufkommen	●	◐		
bei der Geburt	Keine freie Wahl der Hebamme	●	●		◐
	Lange Geburt → mehrere Schichtwechsel der Hebammen möglich	●	●		◐
	Lange Geburt → Hebammen ohne Schichtwechsel können erschöpfen			●	◐
	Mehrere Gebärende pro Hebamme möglich	◐	◐		◐
	Hohes Maß an Information, gegenseitiges Vertrauen, Selbstsicherheit des Paares notwendig		●	●	●
	Bei Geburtskomplikationen muss Gebärende ins Krankenhaus verlegt werden (Zeitverlust)			●	●
	Nachbarn können sich belästigt fühlen			◐	◐
	Medizinisch ausgerichtete Umgebung kann eher Gefühle wecken, krank zu sein, als sich einem natürlichen Prozess hinzugeben	●	●		
	Klinikroutine kann unflexibel, störend und einschränkend sein	●	●		
nach der Geburt/Bonding	Nach der Geburt nur eingeschränkter Kontakt des Vaters zu Mutter und Kind	●			
	Mehrbettzimmer → Unruhe, Besuch, schreiende Babys etc. kann sehr belasten. Folgen können z. B. Stillprobleme sein	●			
	Das frühe Wochenbett zu Hause kann anstrengend sein (→ Seite 90).		●	●	●
	Mutter kann sich im frühen Wochenbett leicht zu viel zumuten	◐	●	●	●
	Komplikationen im Wochenbett → (Rück-)Verlegung ins Krankenhaus		●	●	●
	Eigene Kontrolle über Ernährung von und Umgang mit Kind nicht immer gegeben	●			

»Echte« Männer sind gut vorbereitet!

Wenn Sie Ihre Partnerin bei der Geburt begleiten, erleben Sie auch IHRE EIGENE GEBURT VOM MANN ZUM VATER. Dieses gemeinsame Erlebnis ist eine einmalige Erfahrung, die Sie sehr eng mit Ihrer Partnerin zusammenbringen kann. Doch auch wenn Sie noch unsicher sind, ob Sie die Geburt (ganz) miterleben möchten oder sich gegen Ihr Dabeisein entscheiden: Sie sollten sich auf jeden Fall so gut wie möglich darüber informieren – und, noch wichtiger: sich auf die erste Zeit mit Kind und Ihr Vatersein vorbereiten.

Geburtsvorbereitungskurse

Geburtsvorbereitungskurse werden manchmal auch scherzhaft »Hechelkurse« genannt. Diesen Namen verdanken sie vor allem dem Kurskonzept des französischen Geburtshelfers Ferdinand Lamaze, in dem eine sehr aufwändige Atemtechnik eingeübt wurde.

Feste Zuordnungen zu bestimmten »Schulen« sind aber schon lange nicht mehr üblich. Die meisten Kurse bestehen heute aus einer Zusammenstellung sinnvoller Elemente verschiedener Richtungen.

In den Kursen geht es hauptsächlich darum, wie Ihre Partnerin Ihr Kind GUT UND SCHADENFREI auf die Welt bringen kann. So ist zumindest der Auftrag der gesetzlichen Krankenkassen formuliert, die meist nur die Kursgebühr für die Frau für derzeit 14 Stunden übernehmen. Fragen Sie bei Ihrer Krankenversicherung nach, ob sie als »moderne, familienfreundliche und zukunftsorientierte Versicherung« auch Ihre Kursgebühren übernimmt. Schließlich tragen Sie als gut vorbereiteter Begleiter einiges zum guten Gelingen der Geburt bei.

Da fast alle Väter bei der Geburt Ihrer Kinder dabei sind, sind viele Kurse mittlerweile so ausgelegt, dass sie auch den Partner als Geburtsbegleiter ansprechen. Besuchen Sie deshalb gemeinsam mit Ihrer Partnerin einen GEBURTSVORBEREITUNGSKURS FÜR PAARE, um sich optimal vorzubereiten.

Das bietet ein guter Geburtsvorbereitungskurs

Die Auswahl eines geeigneten Kurses zur Vorbereitung auf die Geburt ist gar nicht so einfach – die Angebote sind zum Teil sehr unterschiedlich und es gibt für diese Kurse KEINE EINHEITLICHEN STANDARDS.

Sinnvoll ist es, den Kurs dort zu besuchen, wo Ihre Partnerin auch Ihr Kind bekommen möchte, oder bei der Hebamme, die Ihrem Kind auf die Welt helfen soll – gesetzt den Fall, er entspricht Ihren Erwartungen. Mit unserer »Checkliste« auf Seite 37 sind Sie gut gerüstet, um Ihr Anliegen klar zu formulieren.

Woran Sie einen guten Kurs erkennen

Die meisten Kursangebote kommen von Hebammen. Sie sind zurzeit die Einzigen, die die Kursgebühren für die Frauen direkt mit den gesetzlichen Krankenversicherungen abrechnen können. Ausschlaggebend dafür ist die ANERKENNUNG ALS HEBAMME, nicht der Nachweis einer pädagogischen Befähigung. Deshalb sollten Sie außer nach der Kursgebühr und der Abrechnung auch danach fragen, ob und wie die Hebamme sich für die Leitung eines Geburtsvorbereitungskurses PÄDAGOGISCH WEITERGEBILDET hat.

So können Sie die Wahrscheinlichkeit erhöhen, dass Sie nicht nur aus medizinischer Sicht erfahren, was bei einer Geburt vor sich geht, sondern dass Sie und Ihre Partnerin auch als werdende Eltern aktiv ins Kursgeschehen einbezogen werden. Informieren Sie sich rechtzeitig über Kurse!

Melden Sie sich auf jeden Fall so frühzeitig, dass das Kursende rund vier Wochen vor dem errechneten Geburtstermin liegt.

Ihr Platz in der Geburtsvorbereitung

WISSEN, WAS PASSIERT

Viele Frauen und Männer haben Angst vor der Geburt und den damit verbundenen Schmerzen. Angst während der Geburt kann zu Muskelverspannungen und damit zu größeren Schmerzen führen. Deshalb ist ein wichtiges Ziel der Kurse, über die körperlichen Vorgänge bei der Geburt zu informieren, um so ÄNGSTE ABZUBAUEN. Außerdem werden Entspannungsübungen vorgestellt und geübt. Sie können nicht nur Ihrer Partnerin, sondern auch Ihnen helfen, bei der Geburt ruhig zu bleiben.

2

ÜBUNG MACHT DEN GUTEN BEGLEITER

Oft sind Männer an den technisch-medizinischen Aspekten von Schwangerschaft und Geburt besonders interessiert. Sie wollen genau wissen, wie eine Geburt vor sich geht, und sicher gehen, dass in einer Notsituation alles für ihre Partnerin und ihr Kind getan wird. Entspannungs-, Atem- und Gymnastikübungen in Geburtsvorbereitungskursen nehmen sie häufig als notwendiges Übel mit in Kauf. Aber: Es lohnt sich, diese Übungen mitzumachen! Je mehr sie auch Ihnen in Fleisch und Blut übergehen, desto besser können Sie Ihre Partnerin bei der Geburt unterstützen, indem Sie ihr zum Beispiel helfen, den für sie PASSENDEN ATEMRHYTHMUS zu finden und zu halten. Haben Sie gemeinsam einige GEBÄRPOSITIONEN durchgespielt, fällt es Ihnen leichter, Ihrer Partnerin während der Geburt einen Positionswechsel vorzuschlagen und Ihren Platz dabei einzunehmen.

WERDENDE VÄTER TREFFEN

Wo treffen sich werdende Väter? Falls Sie nicht zufällig jemand im Freundes-, Bekannten- oder Kollegenkreis haben, ist der Geburtsvorbereitungskurs oft die einzige Chance, Männer in der gleichen Situation zu treffen. Nutzen Sie die Gelegenheit. Im Geburtsvorbereitungskurs können Sie FREUNDE FÜRS (VÄTER-)LEBEN FINDEN.

»MÄNNERRUNDEN« IM GEBURTSVORBEREITUNGSKURS

Fragen Sie die Kursleiterin bereits vor der Anmeldung zum Kurs, spätestens jedoch zu Kursbeginn, wie sie die werdenden Väter in die Kursarbeit einbindet. Wenn sie sich dazu noch keine Gedanken gemacht hat, bieten Sie Unterstützung an. Überlegen Sie mit ihr, was Männer für ihr Vaterwerden und -sein im Geburtsvorbereitungskurs brauchen und was die Kursleiterin dazu beitragen will und kann.

Wenn die Leiterin sich dazu nicht in der Lage fühlt oder nicht gesondert auf Männer eingehen möchte, erkunden Sie andere Angebote oder werden Sie im Kurs SELBST AKTIV. Hier finden Sie Anregungen, was Sie mit den anderen »schwangeren Männern« im Kurs oder auch bei Treffen außerhalb des Kurses besprechen können:

THEMEN FÜR GESPRÄCHE UNTER MÄNNERN IM KURS

- Welche Wünsche und Befürchtungen habe ich für die Geburt?
- Will ich bei der Geburt dabei sein? Was will ich sehen? Was nicht?
- Wie können wir unsere Geburt als Familie feiern?
- Was ist mir wichtig für die erste Zeit mit dem Baby zu Hause?
- Wie kann ich im Wochenbett für Entlastung und Unterstützung sorgen?
- Wie wird ein Kind unsere Paarbeziehung verändern?
- Wie hat sich die Sexualität mit meiner Partnerin seit Beginn der Schwangerschaft verändert? Wie gehe ich damit um? Wie kann sie sich nach der Geburt entwickeln?
- Was ist mir für die Erziehung meines Kindes wichtig?
- Was möchte ich als Vater meinem Kind für sein Leben mitgeben?
- Wie ändert mein Vaterwerden mein Verhältnis zu meinen Eltern?

Regen Sie an, dass Sie als werdende Väter sich auch privat treffen. Die anderen Männer werden Ihre Initiative dankbar aufnehmen.

»**Anteilnehmende** Freundschaft macht das Glück **strahlender** und **erleichtert** das Unglück.«

[Marcus Tullius Cicero | *römischer Politiker (106 – 43 v.Chr.)*]

Einige FAMILIENBILDUNGSSTÄTTEN bieten auch die Gelegenheit, einen Vater-Kind-Treff einzurichten. Und gehen Sie mit Ihren Kursvätern auch mal einen Abend (ohne Frauen) in die Kneipe – es tut sicher gut zu hören, wie der Vateralltag bei anderen aussieht!

2

CHECKLISTE

Hilfen für die Auswahl eines Kurses

- Über welche Ausbildungen verfügt die Kursleiterin? Was will sie vermitteln?
- Bereitet der Kurs auch auf die erste Zeit mit Kind vor?
- Gibt er Infos zu Entlastungsmöglichkeiten für die erste Zeit mit Kind?
- Wie werden die angehenden Väter ins Kursgeschehen einbezogen?
- Gibt es spezielle Einheiten für die Väter?
- Gibt es – was leider sehr selten ist – einen männlichen Co-Leiter, der auf die Fragen und Bedürfnisse der Männer eingeht?
- Geht der Kurs über die üblichen 14 Stunden hinaus? Kann (eventuell gegen Zuzahlung) auch ein zeitlich und thematisch erweiterter Kurs belegt werden?
- Sind auch mögliche Veränderungen in der Paarbeziehung (emotional, sexuell) durch die Schwangerschaft und Geburt ein Thema?
- Hilft der Kurs bei der Planung von Zeit- und Aufgabenverteilung nach der Geburt?
- Wird der Umgang mit untröstlich weinenden Babys thematisiert?
- Hilft er Ihnen, Geschwisterkinder auf das Baby vorzubereiten und so Eifersucht zu vermeiden?

Richten Sie sich ein – der Nestbau

Für viele Paare, die Eltern werden, ist die Schwangerschaft auch die Zeit des »Nestbaus«. Richten Sie sich also auch räumlich auf das neue Leben als Familie ein. Wie Sie das stressfrei und kostengünstig hinbekommen können, erfahren Sie auf den nächsten Seiten.

Wohnung oder Haus?

Für viele Paare ist die erste Schwangerschaft der entscheidende Grund, zusammenzuziehen. Falls auch Sie gerade auf der Suche nach einem neuen Domizil sind, denken Sie daran: **WENIGER IST MANCHMAL MEHR!** Das heißt eine große, teure Wohnung, die Sie möglichst perfekt einrichten wollen mit neuer Küche, neuem Wohnzimmer, neuem Schlafzimmer, kostet eine Menge Geld. Geld, für das Sie viel und hart arbeiten müssen, wodurch Sie wahrscheinlich weniger Zeit für Ihre Familie haben werden. Überlegen Sie mit Ihrer Partnerin, was für gemeinsame Ansprüche Sie haben. Brauchen Sie wirklich die perfekte Einrichtung und den Zweitwagen, oder möchten Sie Ihren Lebensstandard für eine Zeit einschränken und sich stattdessen den **LUXUS GEMEINSAMER ZEIT FÜRS KIND** oder geteilter Elternzeit leisten (→ Seite 163)?

Kinderzimmer, Schlafzimmer oder Elternbett?

Für viele gehört die Einrichtung eines Kinderzimmers zum festen Bestandteil des Nestbaus. Weniger kann aber auch hier mehr sein. In der ersten Zeit braucht Ihr Kind eigentlich **KEIN EIGENES**

ZIMMER. Denn meist ist es da, wo seine Eltern sind. Es schläft gerne dicht an oder in der ersten Zeit auch in Ihrem Bett. Das hat einen sehr praktischen Nebeneffekt: Sie und Ihre Partnerin müssen nachts nicht ständig aufstehen, wenn Ihr Kind sich nach Ihnen sehnt.

Außerdem hat es den Vorteil, dass Ihre Partnerin zum STILLEN noch nicht einmal aufstehen muss. Nach dem Anlegen kann sie im Idealfall direkt weiterschlummern. Und natürlich können auch Sie sich an Ihr Kind kuscheln, seinen Atem hören, seinen Babyduft riechen und sich an der Nähe zu ihm freuen.

Falls Ihr Bett schmal ist oder Sie einen unruhigen Schlaf haben, richten Sie das Babybett so ein, dass seine Matratze auf einer Ebene mit Ihrer ist. Ein Stillkissen oder Ähnliches verhindert, dass Sie übereinander kugeln. Bis Ihr Kind es wirklich braucht, können Sie das geplante Kinderzimmer als PAARZIMMER NUTZEN und sich eine gemütliche Kuschelecke einrichten – denn manchmal stören Kinder im Elternbett eben doch …

» Ein Kind betritt deine Wohnung und macht
in den folgenden zwanzig Jahren so viel Lärm,
dass du es kaum aushalten kannst.
Dann geht das Kind weg
und lässt das Haus stumm zurück,
dass du denkst,
du wirst verrückt. «

[John Andrew Holmes | *amerikanischer Autor*]

Die Grundausrüstung für Ihr Baby

Hellblau oder rosa? Naja, vielleicht wissen Sie es ja schon. Aber möglicherweise gefällt Ihnen auch keine der beiden Farben. Die Zeiten, in denen Männer in Babykleidungsgeschäften betrachtet wurden wie Wesen von einem anderen Stern, sind vorbei. Auch die Werbung hat die jungen, engagierten Väter mittlerweile als zahlungskräftige Zielgruppe erkannt. Grund genug, sich auch einmal Gedanken über die (Erst-)Ausstattung Ihres Kindes zu machen.

Bei KLEIDUNG raten wir Ihnen: Kaufen Sie auch gebrauchte Stücke. Sie sind günstig und durch häufiges Waschen frei von chemischen Ausrüstungen, die Allergien auslösen können. Noch besser: Sie können von Freunden und Bekannten, die bereits Kinder haben, Kinderkleidung ausleihen. Babys wachsen so schnell, dass sie alle paar Wochen die nächste Größe brauchen.

Sparen Sie aber nicht am falschen Ende bei Dingen, die der SICHERHEIT Ihres Kindes dienen. Achten Sie bei Anschaffungen wie Babyphon oder Wickeltischauflage nicht nur auf Funktionalität und Preis, sondern auch auf eventuelle Schadstoffbelastungen. Hilfen zur Auswahl solcher Produkte finden Sie unter anderem in den regelmäßig aktualisierten Baby- und Kleinkindheften von »Öko-Test«. Viele neue Kleidungsstücke sind mittlerweile SCHADSTOFFGEPRÜFT. Achten Sie beim Kauf auf entsprechende Hinweise, und bitten Sie auch die Menschen darum, die Ihrem Baby etwas schenken wollen.

AUF VIER GROSSEN RÄDERN: Für Autofahrten braucht Ihr Kind eine geeignete Babysitzschale. Informieren Sie sich vor dem Kauf über Testurteile zu einzelnen Produkten. Sicherheit sollte an erster Stelle stehen. Benutzen Sie die Autositzschale bitte NUR für Autofahrten oder zusätzlich maximal für den Transport vom Auto ins Haus. Wenn Ihr Baby zu lange in der halbsitzenden Haltung verweilt, schadet das seiner Wirbelsäule.

Achten Sie unbedingt auf die Einbauhinweise des Herstellers, insbesondere im Zusammenhang mit Airbags.

AUF VIER KLEINEN RÄDERN: Der Kinderwagen ist für viele zunächst das wichtigste Transportmittel. Er sollte gut gefedert sein, um den Rücken Ihres Kindes zu schonen. Buggys und Jogger sind daher für Säuglinge nicht geeignet. Achten Sie im Interesse Ihres eigenen Rückens darauf, dass der Wagen einen entsprechend hoch einstellbaren Griff hat. Auch die ausreichende Fußfreiheit ist sehr wichtig, damit Sie sich beim Schieben nicht stoßen oder neben dem Wagen laufen müssen. Achten Sie auf einen breiten Radstand (höhere Stabilität, kippsicher), beidseitige Bremsen und darauf, dass sich der Wagen auch zusammengeklappt im Auto transportieren lässt. Falls er über Treppen getragen werden muss, sollte er nicht zu schwer sein. Wenn Sie öffentliche Verkehrsmittel benutzen, ist ein schmaler Wagen günstig.

OHNE RÄDER UNTERWEGS: In vielen Situationen sind Tragehilfen und Tragetücher eine praktische Ergänzung zum Kinderwagen. Viele Kinder und Eltern lieben den engen Körperkontakt sehr. Gerade wenn Sie Treppen hinauf müssen oder sich häufig mit öffentlichen Verkehrsmitteln fortbewegen, kann ein Tragetuch oder Tragesack viel praktischer sein als ein sperriger Kinderwagen.

Lassen Sie sich die Anwendung von Tragetüchern oder -hilfen unbedingt erklären, und zwar so lange, bis Sie sich im Umgang damit sicher fühlen. Ein gut und richtig gewickeltes Tragetuch kann die gesunde Entwicklung Ihres Kindes fördern, »schief« gewickelt kann es aber auch der Wirbelsäule schaden.

Gerade ältere Menschen haben beim Anblick eines Kindes im Tragetuch hin und wieder Schwierigkeiten. Lassen Sie sich jedoch nicht beirren und sehen Sie über Kommentare wie »das Baby kriegt da drin doch keine Luft!« souverän und großzügig hinweg.

Übrigens: Auch Kinderwagen und Tragehilfen müssen nicht neu sein, sie lassen sich gut gebraucht kaufen.

Vaterwerden – Vatersein

Zum Vaterwerden und Vatersein gehört viel Vorbereitung etwa auf die Geburt und den Nestbau. Bei aller Organisation des äußeren Rahmens: Denken Sie auch daran, sich auf Ihre neue Rolle als Vater vorzubereiten.

Gespräche mit dem eigenen Vater suchen

Bei Ihren Vorbereitungen auf die Geburt und Ihr Vatersein ist Ihnen vielleicht schon öfter der Gedanke an Ihren eigenen Vater gekommen. Nun setzen Sie die **GENERATIONENFOLGE** fort, Sie sind nicht länger nur Kind, sondern bald auch Vater – und: Sie machen Ihren Vater zum Opa! Ein wichtiger Anlass, mit ihm ins Gespräch zu kommen, ganz besonders dann, wenn Sie sich voneinander entfernt haben.

Auch wenn Ihr Vater vielleicht nicht immer der war, den Sie sich als Kind gewünscht haben: **NUTZEN SIE SEINE ERFAHRUNGEN.** Das heißt nicht, dass Sie es nicht anders machen dürfen als er. Wenn es Ihnen schwer fällt, den Kontakt zu intensivieren oder wieder aufzunehmen, denken Sie an Ihr Kind: **KINDER LIEBEN GROSSVÄTER.** Und selbst die verbittertsten alten Leute tauen meist beim Anblick eines Babys oder Kleinkinds auf.

Animieren Sie Ihren Vater, Geschichten über seine Zeit als werdender und junger Vater zu erzählen. Fragen Sie ihn, wie es für ihn war, Vater zu werden und junger Vater zu sein – schon haben Sie eine Fülle neuer Gesprächsthemen (→ Tipp Seite 16). Dies alles gilt natürlich auch für Ihre Mutter und die Eltern Ihrer Partnerin.

»Als ich 14 Jahre alt war,
war mein Vater für mich so dumm,
dass ich ihn kaum ertragen konnte.
Aber als ich 21 wurde, war ich doch erstaunt,
wie viel der alte Mann in sieben Jahren
dazugelernt hatte.«

[Mark Twain | *amerikanischer Erzähler und Satiriker (1835–1910)*]

Wenn Ihre Eltern dennoch nicht für Sie als Gesprächspartner oder als aktive Großeltern in Frage kommen oder bereits gestorben sein sollten, überlegen Sie, wer stattdessen diese Rolle übernehmen könnte.

Wie will ich Vater sein? – Mut zu neuen Wegen

Vaterwerden und Vatersein sind eigentlich ganz »natürliche« Angelegenheiten. Aber in unseren modernen Gesellschaften gibt es nur noch WENIG FESTGESCHRIEBENE ROLLEN, auf die wir zurückgreifen können. Das alte Bild des Vaters als alleiniger Familienernährer, der von Haushalt und Kindern keine Ahnung hat, zerbricht immer mehr. Heute können und müssen Männer ihr Vatersein selbst ausfüllen. Das ist oft gar nicht so leicht. Warum? Es fehlen Vorbilder für neue, stärker unseren Kindern zugewandte Vaterrollen. Aber, es macht auch Spaß, sich auszuprobieren und NEUE WEGE ZU GEHEN.

Nehmen Sie sich Zeit, und machen Sie sich ein Bild davon, wie Sie selbst Vater sein wollen. Anregungen dazu finden Sie in unserem Tippkasten auf Seite 45.

Vereinbarkeit von Familie und Beruf

Auch hier verändern sich tradierte Rollen, denn dieses Problem ist schon lange KEIN REINES FRAUENTHEMA mehr. Viele Väter wollen Zeit mit ihren Kindern verbringen und das nicht nur am Wochenende. Und auch viele Mütter wollen über der Familie ihren Beruf nicht völlig vernachlässigen.

Im Rahmen der Elternzeitregelung gibt es vielfältige Möglichkeiten, die drei Jahre aufzuteilen, die früher »Erziehungsurlaub« genannt wurden, aber kein Urlaub waren. Details hierzu finden Sie ab Seite 163. Auch wenn die ELTERNZEIT erst nach der Geburt ansteht, ist jetzt der richtige Zeitpunkt, um sich mit Ihrer Partnerin Gedanken darüber zu machen, welche Möglichkeiten Sie sehen oder schaffen können, um sich diese drei Jahre BESTMÖGLICH AUFZUTEILEN.

Selbst wenn für Sie – wie bei vielen Eltern – aus wirtschaftlichen und beruflichen Gründen einiges gegen eine geteilte Elternzeit sprechen mag, vergessen Sie nicht, dass die Qualität der Vater-Kind-Beziehung der ersten Jahre so einiges aufwiegt (→ Seite 11).

» Mit einer Kindheit
voll Liebe kann man
ein halbes Leben hindurch
für die kalte Welt
haushalten. «

[Jean Paul | *deutscher Dichter (1763 – 1825)*]

TIPP

Blick zurück nach vorn

Wie möchten Sie Vater sein? Setzen Sie sich mit Ihrer Partnerin zusammen, und schauen Sie Kinderfotos an. Nehmen Sie Bilder aus verschiedenen Altersstufen auf denen Sie und Ihr Vater zu sehen sind.

→ Schauen Sie die Bilder an, und versetzen Sie sich in die Situation:

- Wie haben Sie Ihren Vater damals erlebt? Woran erinnern Sie sich gern? Woran weniger gern? Versuchen Sie, Eigenschaften Ihres Vaters zu benennen, die für Sie positiv sind, und solche, die Sie weniger schätzen.
- Stellen Sie sich vor, Sie sind der Vater auf dem Bild. Wie möchten Sie sein? Was wird Ihr Kind sich von Ihnen wünschen? Was möchten Sie ihm mitgeben?
- Bitten Sie Ihre Partnerin, das Gleiche mit Fotos von sich und ihrer Mutter zu machen.

Ob Sie sich direkt beim Betrachten erzählen, welche Bilder, Erinnerungen und Vorstellungen über Ihr eigenes Elternsein bei Ihnen auftauchen, oder ob Sie lieber hinterher darüber reden, bleibt Ihnen überlassen.

→ Tauschen Sie sich im Anschluss aus:

- Wie haben Sie Ihren Vater erlebt? Wie Ihre Partnerin ihre Mutter?
- Was war gut, was hätte besser sein können?
- Wie wollen Sie vor diesem Hintergrund Vater beziehungsweise Mutter sein?

→ Erweitern Sie diese Anregung auch selbst:

- Betrachten Sie Kindheitsfotos von sich und Ihrer Mutter und Ihre Partnerin von sich und ihrem Vater. Stellen Sie sich selbst die gleichen Fragen wie oben.
- Versuchen Sie herauszufinden, wie Sie sich die Eigenschaften der Mutter Ihrer Kinder vorstellen, und Ihre Partnerin, wie sie meint, dass Sie sein sollten.

So kommen Sie unausgesprochenen Erwartungen auf die Spur, die eine häufige Ursache von Streit als Eltern sind.

Sexualität in der Schwangerschaft

Mit der Schwangerschaft übernimmt der weibliche Körper Funktionen, die ihn in einen natürlichen, aber doch sehr ungewohnten Zustand versetzen, der viele Anstrengungen mit sich bringt.

Aber die Schwangerschaft ist auch eine wunderbare Zeit, Ihre Partnerin, Ihren Körper und Ihre gemeinsame SEXUALITÄT NEU ZU ENTDECKEN. Sprechen Sie über diese Veränderungen – auch über mögliche neue Wünsche und Vorlieben.

Ein Eldorado der Lust...

Für viele werdende Eltern ist insbesondere das zweite Schwangerschaftsdrittel ein »Eldorado« der Lust. Viele Männer – und auch Frauen – finden den kugeligen Bauch sehr erotisch. Die Brüste werden nicht nur größer, sondern auch deutlich empfindlicher.

Viele Frauen empfinden auch die stärkere Durchblutung des Scheiden- und Dammbereichs als sehr lustvoll und möchten in dieser Zeit häufiger Sex – mitunter mehr als ihr Partner. Wenn Sie unterschiedlich viel Lust aufeinander haben, reden Sie auch über Selbstbefriedigung, denn das kann Ihnen beiden DRUCK NEHMEN, die Erwartungen des anderen erfüllen zu müssen. Und vielleicht reden Sie nicht nur darüber, sondern tun es einfach, ohne ein schlechtes Gewissen zu haben.

Der große und wunderbare Vorteil der Schwangerschaft ist: EMPFÄNGNISVERHÜTUNG ist in dieser Zeit KEIN THEMA! Sie können also nach Herzenslust miteinander anstellen, was Sie beide möchten. Aus körperlicher Sicht gibt es zunächst keine Bedenken gegen sexuelle Aktivität in der Schwangerschaft, vorausgesetzt, es liegen keine

Schwangerschaftsbeschwerden oder -komplikationen vor, die Sie einschränken. Sollten Sie oder Ihre Partnerin Zweifel haben, fragen Sie einfach den Frauenarzt oder die Hebamme beim nächsten Vorsorgetermin. Ansonsten gilt: erlaubt ist, was beiden gefällt!

Und warum sollte es dem Kind nicht gut gehen, wenn es seinen Eltern gut geht? Wenn Sie sich durch die »dritte Person« gestört fühlen, denken Sie doch einfach daran, dass es sehr schön ist, dass Ihr Kind Ihre Lust als **AUSDRUCK IHRER LIEBE** zueinander miterleben darf.

Durch die Umstellung des weiblichen Hormonhaushalts in der Schwangerschaft kann es sein, dass das Scheidenmilieu Ihrer Partnerin deutlich trockener ist als vor der Schwangerschaft. Falls dies Ihre gemeinsame Lust beeinträchtigen sollte, besorgen Sie sich in Apotheke, Drogerie oder auch im Sex-Shop ein Gleitmittel auf Wasser- oder Silikonbasis oder benutzen Sie ein parfumfreies Körperöl. Falls der runde Bauch Sie beide bei Ihrer Lieblingsposition behindert oder irgendetwas sich nicht mehr so schön anfühlt, wie vor der Schwangerschaft: Seien Sie kreativ, **PROBIEREN SIE NEUE DINGE AUS**. Greifen Sie unbefangen zu sexuellen Hilfsmitteln, angefangen mit Kissen, Decken oder sonstigen Polstern bis hin zu anderen Möglichkeiten der sexuellen Stimulation, gerade dann, wenn zum Beispiel das Eindringen des Penis in die Scheide Ihnen oder Ihrer Partnerin nicht die gewünschte Lust bereitet.

Versuchen Sie beide, mit Ihrer Sexualität so offen wie möglich umzugehen. Erdulden Sie nichts um des anderen willen. Horchen Sie in sich hinein, was Sie möchten, welche Alternativen es für Sie gibt, und bleiben Sie darüber **MITEINANDER IM GESPRÄCH**. Denn unausgesprochene sexuelle Wünsche, falsch verstandene Liebesdienste und Tabus, die selbst in sehr vertrauten Paarbeziehungen zum Thema Sexualität bestehen, sind für viele Krisen und Trennungen mitverantwortlich. Hilfen zu Fragen rund um die Sexualität in der Schwangerschaft und nach der Geburt finden Sie im Anhang (→ Seite 172).

Wenn die Lust leidet ...

Im Gegensatz zum zweiten Schwangerschaftsdrittel fühlen sich einige Frauen im ersten und dritten Schwangerschaftsdrittel nicht immer richtig wohl in ihrer Haut.

Insbesondere in den ersten Wochen der Schwangerschaft leiden viele Frauen an Übelkeit, die bei manchen unterschiedlich stark bis zum Ende der Schwangerschaft anhalten und entsprechend die sexuelle Lust dämpfen kann.

Auch das LETZTE SCHWANGERSCHAFTSDRITTEL ist für viele Frauen recht beschwerlich. Der Bauch nimmt ungeahnte Ausmaße an, er wird schwerer und schwerer. Häufig klagen Frauen darüber, nicht mehr tief durchatmen zu können. Sie haben Schwierigkeiten beim Treppensteigen oder dabei, im Liegen ihre Position zu verändern. Gerade im Sommer leiden sie unter Wassereinlagerungen in den Beinen und rund um die Gelenke. Hinzu kommen nicht selten Rückenschmerzen durch das zusätzliche Gewicht von bis zu 20 Kilogramm (!), das viele schwangere Frauen zu tragen haben.

All diese Veränderungen beeinflussen natürlich auch die sexuellen Bedürfnisse. Gerade in dieser anstrengenden Zeit suchen Frauen oft eher ZÄRTLICHKEIT, NÄHE UND VERSTÄNDNIS. Sie freuen sich, liebevoll umsorgt zu werden, und über sanfte körperliche Zuwendung oder Massagen.

» Mit dem nackten Körper stets den Begriff der Erotik verbinden: das ist ungefähr so intelligent, wie beim Mund stets ans Essen zu denken. «

[Kurt Tucholsky | *deutscher Schriftsteller (1890 – 1935)*]

Manche Paare haben gerade in diesen beiden Phasen der Schwangerschaft WENIG SEX MITEINANDER. Vielleicht hilft es Ihnen beiden, sich von dem Druck zu befreien, dass zu »gutem« Sex in jedem Fall das Umschließen des Penis durch die Scheide gehört.

Seien Sie erfinderisch und offen für Neues. Tipps, wie Sie sich auch bei unterschiedlichen sexuellen Bedürfnissen langsam wieder ANEINANDER HERANTASTEN können, finden Sie ab Seite 151.

2

Vorsicht bei Neigung zu vorzeitigen Wehen

Im Sperma sind Prostaglandine, hormonähnliche Substanzen, enthalten. Sie fördern die Öffnung des Muttermundes und regen die WEHENTÄTIGKEIT an – allerdings nur dann, wenn bei der Frau bereits eine Bereitschaft dazu besteht.

Bei einer Neigung zu vorzeitigen Wehen sollten Sie Frauenarzt oder Hebamme fragen, ob es ausreicht, Sperma vom Muttermund fern zu halten, etwa durch ein Kondom, oder ob Sie besser ganz auf Geschlechtsverkehr verzichten, um die Gefahr einer vorzeitigen Geburt so gering wie möglich zu halten.

Wenn Sie gar nicht mehr warten wollen

Sollte der errechnete Geburtstermin erreicht oder überschritten sein und die Wehen auf sich warten lassen, können Sie sich die Wirkung der Prostaglandine auch zu Nutze machen. Ihr Sperma am Muttermund Ihrer Partnerin wirkt nicht viel anders als manche Medikamente, die in Kliniken zur EINLEITUNG DER GEBURT verwendet werden. Diese »Anwendung« dürfte aber wirklich angenehmer sein!

3

Die Geburt des Kindes ist die Geburt der Familie

→ Bis vor 30 Jahren hatte ein Mann bei der Geburt seines Kindes nichts zu suchen. Heute sind zum Glück über 90 Prozent dabei und stehen ihrer Partnerin zur Seite. Denn mit der Geburt des Kindes erleben sie aktiv die eigene Geburt als Vater und gemeinsam mit ihrer Partnerin und ihrem Kind den Übergang vom Paar zur Familie!

Die Geburt gemeinsam erleben

Auch wenn manche Untersuchungen ins Feld führen, die Anwesenheit des Vaters bei der Geburt würde das Komplikationsrisiko erhöhen, beweisen andere genau das Gegenteil: Ein gut informierter und vorbereiteter Vater unterstützt seine gebärende Partnerin. Er gibt ihr **GEBORGENHEIT UND SICHERHEIT.**

Für viele Väter gehört die Geburt ihres Kindes zu den unvergesslichen Erlebnissen. In diesem Augenblick stellen sie den ersten direkten Kontakt zu ihrem Kind her – sinnlich, körperlich und emotional. Die Geburt ist also der Beginn einer wunderbaren, **INTENSIVEN BEZIEHUNG** zu Ihrer Tochter oder Ihrem Sohn!

» Ich finde es schön,
dass meine ältere Tochter
mich heute manchmal fragt,
wie denn ihre Geburt war –
und ich kann darauf antworten!
Das war mir damals, bei der Entscheidung
»dabei zu sein«, noch nicht bewusst! «

[Olaf, 38 | *2 Kinder*]

Der beste Start ins Familienleben

Ergebnisse der Väterforschung[2] zeigen, dass Väter, die bei der Geburt ihres Kindes dabei sind,

1. üblicherweise mehr Zeit mit ihren Kindern verbringen;
2. ihre Kinder häufiger wickeln;
3. ihre Kinder öfter am Körper tragen;
4. öfter mit dem Baby im Kinderwagen oder im Tragetuch an die frische Luft gehen;
5. sicherer im körperlichen Umgang mit dem Kind sind und mehr Spaß daran haben.

Es nutzt Ihrem Kind also schon sehr bald, wenn Sie sich gut auf die Geburt vorbereiten und dabei sind: Kinder von engagierten Vätern sind anderen Kindern in ihrer Entwicklung voraus und glücklicher (→ Seite 11).

Auch Ihre PARTNERSCHAFT PROFITIERT, wenn Sie die Geburt gemeinsam erleben. Es ist die Geburt Ihres Kindes. Ihre Frau wird Mutter, Sie werden Vater, und Sie alle werden eine Familie. Sie haben eine Ausnahmesituation gemeinsam erlebt und durchgestanden. Das schmiedet Sie und Ihre Partnerin als Paar noch enger zusammen – die beste Grundlage, auch die erste Zeit mit Kind gut zu meistern.

» Ein Kind ist sichtbar gewordene Liebe. «

[Novalis | *deutscher Lyriker (1772 – 1801)*]

Schmerzen, Schreie, Blut – Ihr Umgang mit dem Elementaren

Manche Menschen – Frauen und Männer – können kein Blut sehen. Immer wieder berichten werdende Väter in Geburtsvorbereitungskursen, sie hätten Angst, ohnmächtig zu werden, wenn sie bei der Geburt dabei sind. Solche Bedenken sind normal – denn eine Geburt ist zweifellos eine AUSNAHMESITUATION. Bestimmen Sie selbst, wie weit Sie gehen und sich mit »dem Elementaren« konfrontieren wollen.

Die Mythen über die im Angesicht des Vaterwerdens schwächelnden Männer halten sich hartnäckig. Uns ist jedoch bis heute kein einziger Fall berichtet worden, bei dem der Vater tatsächlich »umgekippt« ist. Wenn Sie aktiv beteiligt sein wollen, ist es wahrscheinlich, dass Sie Blut sehen, Schleim und Körperflüssigkeiten. Die beste Möglichkeit, sich über die zu erwartenden urmenschlichen Erfahrungen zu informieren, wird hier ein Gespräch mit geburtserfahrenen Vätern sein. Doch auch während der Geburt können Sie sich noch entscheiden, was Sie sich wie zutrauen wollen. Wenn Sie in der AUSTRITTSPHASE, also dann, wenn Ihr Kind tatsächlich geboren wird, am Kopf Ihrer Partnerin stehen oder hocken und dort bleiben, bis das Kind abgenabelt ist, bekommen Sie nicht viel vom Blut bei der Geburt mit. Und wenn Ihnen zwischendrin doch einmal flau werden sollte, ist das in der ungewohnten, anstrengenden Situation keine Schande.

Nach der Geburt wird Ihre Partnerin noch einige Tage aus der Scheide bluten (»Wochenfluss«, → Seite 151), insbesondere in den ersten Stunden nach der Geburt. Gerade nach einer ambulanten oder außerklinischen Geburt können Sie dann noch einmal mit Blut konfrontiert werden, weil Ihre Partnerin vielleicht Ihre Hilfe beim Wechseln der Vorlage braucht.

Einige Männer haben Probleme mit LAUTEN SCHMERZENSÄUSSERUNGEN, Stöhnen und Schreien bei der Geburt. In einem guten

3

Geburtsvorbereitungskurs erfahren Sie, wie wichtig es für Frau und Baby ist, die Wehen nicht schweigend mit zusammengebissenen Zähnen zu ertragen. Ihre Partnerin **HILFT DEM BABY** viel besser durch den Geburtskanal zu kommen, wenn sie ihre Muskulatur nicht verkrampfen muss, indem Sie die Lippen zusammenpresst und versucht, leise zu sein. Wenn Sie mit Ihrer Partnerin **MITATMEN** und vielleicht sogar die tiefe Tonlage (»Aaaah!«) vorgeben, fällt es Ihnen sicher auch leichter, mit dem Lärmpegel klarzukommen.

Wissen, wo die eigenen Grenzen liegen

Nach allem, was Sie nun wissen: Wenn Sie noch unsicher sind, ob Sie wirklich der richtige Geburtsbegleiter für Ihre Partnerin sind: Überlegen Sie nochmals:

- Was an der Geburt macht Ihnen Angst?
- Was möchten Sie sehen? Was möchten Sie nicht sehen?
- Auch wenn Sie Angst haben: Gehen Sie zur Geburt mit. Vereinbaren

TIPP

Fragen und reden

→ Sprechen Sie mit Männern aus Ihrem Bekannten- und Freundeskreis oder Ihrer Familie über deren Geburtserlebnisse. Fragen Sie dabei nicht zuerst nach deren Gefühlen beim Anblick von Blut oder der Nachgeburt, sondern einfach nach dem Geburtserlebnis. Eine Nachfrage kommt dann fast immer völlig natürlich und unverfänglich an.

Sie aber mit Ihrer Partnerin, dass Sie »aussteigen« können, wenn Ihre Grenzen überschritten sind.

- Bedenken Sie: Wenn Sie bei der Geburt dabei sind, dann heißt das nicht, dass Sie zusehen müssen, wie Ihr Kind aus Ihrer Partnerin herauskommt. Bleiben Sie an ihrem Kopf sitzen, reden Sie ihr gut zu und überlassen Sie den Rest den Hebammen.
- Wenn Sie nach allem Abwägen meinen, dass Sie nicht dabei sein können oder wollen: **AUCH DAS IST O.K.!** Aber, sprechen Sie mit Ihrer Partnerin rechtzeitig darüber. Am besten mindestens vier bis acht Wochen vor dem errechneten Geburtstermin. Dann hat sie noch genügend Zeit, sich eine andere Begleitung für die Geburt zu suchen.

3

> Manche Entscheidung sollte man nicht nur mit dem Kopf treffen.
>
> [Unbekannter Autor]

Was Sie vor der Geburt klären sollten

Sie werden Ihre Partnerin bei der Geburt in einer körperlichen und psychischen Extremsituation sehen und begleiten. Die Geburt ist eine Ausnahmesituation, in der sie starke Schmerzen haben wird. So haben Sie ihre Partnerin noch nicht erlebt – und Sie sollten sie dabei so gut es geht **UNTERSTÜTZEN**. Klären Sie deshalb rechtzeitig vor der Geburt mit Ihrer Partnerin, im Geburtsvorbereitungskurs (→ Seite 32) und im Gespräch mit ihr, wie Sie Ihre Rolle sehen und welche Aufgaben Sie während der Geburt übernehmen können und wollen. Dann werden Sie auch wissen, wie Sie Ihrer Partnerin **MUT MACHEN** können und ihr helfen, gemeinsam mit Ihnen die Geburtssituation so anzunehmen, wie sie ist – auch wenn Sie beide es sich vielleicht vorher ganz anders vorgestellt haben.

Ob Sie sich nun für ein gemeinsames Geburtserlebnis entschieden haben, noch unsicher sind, was Sie wollen, oder schon wissen, dass Sie am Tag X nicht dabeibleiben werden: GUT VORBEREITEN sollten Sie sich auf die Ankunft Ihres Kindes in jedem Fall.

Übrigens kommen lediglich vier Prozent aller Kinder genau am errechneten Geburtstermin zur Welt! Der Großteil aller Kinder wird in einem Zeitraum von etwa 14 Tagen vor dem errechneten Termin bis 14 Tage danach geboren. Alles, was innerhalb dieses Zeitraums liegt, GILT ALS NORMAL.

CHECKLISTE

Geburts-Checkliste für Väter

- Informieren Sie sich optimal! Besuchen Sie mit Ihrer Partnerin einen Geburtsvorbereitungskurs für Paare.
- Klären Sie gemeinsam, wo Ihr Kind zur Welt kommen soll. Besuchen Sie Kreißsaalführungen und Infoabende in Geburtshäusern. Sprechen Sie mit Hausgeburtshebammen.
- Behalten Sie Ihre Wünsche, Erwartungen und Befürchtungen nicht für sich. Reden Sie mit Menschen, die Geburten erlebt haben. Über Ängste sprechen baut Ängste ab.
- Suchen Sie sich spätestens drei Monate vor der Geburt eine Hebamme für die Vorsorge, die Geburt und die Nachsorge – je nachdem, welche Hebammenleistungen Sie in Anspruch nehmen wollen und wo Ihr Kind zur Welt kommen soll.
- Packen Sie rechtzeitig den Klinikkoffer. (→ Seite 59)
- Lernen Sie den Weg von zu Hause zur Klinik/zum Geburtshaus auswendig. Fahren Sie nicht selbst, wenn Sie zu nervös sind!

Risikoschwangerschaft – was ist das?

Im Lauf der letzten Jahre ist der Anteil der so genannten »Risikoschwangerschaften« deutlich angestiegen.

Heißt das auch, dass das Risiko für Mutter und Kind, bei der Geburt Schaden zu nehmen, ansteigt? Mitnichten. Das Gegenteil ist der Fall. Immer weniger Neugeborene und Mütter kommen während der Geburt zu Schaden.

Wie kommt es dann zu diesem Mehr an »Risiko«? Die Erklärung ist recht einfach: Jede **SCHWANGERE ÜBER 35 JAHREN** wird automatisch als »risikoschwanger« eingestuft. Und weil Frauen in den letzten Jahrzehnten – durchschnittlich gesehen – immer später ihr erstes Kind bekommen, also auch immer mehr Frauen bei der Geburt ihres ersten Kindes 35 Jahre oder älter sind, geraten immer mehr in die Gruppe der Risikoschwangeren.

Gewiss steigt das Risiko, dass das Kind im Mutterleib nicht gesund ist oder zu früh geboren wird, mit zunehmendem Alter der Schwangeren leicht an – deshalb kann die Schwangerschaft dann **BESONDERS GRÜNDLICH KONTROLLIERT** werden. Mit mehr Untersuchungen und spezielleren Methoden.

Gleichwohl ist zunehmendes Alter nur ein Faktor – und nicht der schwerwiegendste! Viel stärker steigt etwa das Risiko einer Frühgeburt, wenn die Schwangere raucht.

Weitere Faktoren für die **EINSTUFUNG ALS RISIKOSCHWANGERSCHAFT** sind:

1. hoher Blutdruck der Schwangeren
2. Diabetes
3. vorausgegangene Kaiserschnittgeburten
4. Zwillingsschwangerschaften.

Ihre Partnerin und Sie sollten sich bei einer Risikoschwangerschaft so verhalten, wie Sie sich bei erhöhten Risiken immer verhalten – besonders vorsichtig sein und passende Maßnahmen ergreifen:

- Gehen Sie möglichst gemeinsam zu jeder Vorsorgeuntersuchung, verkürzen Sie möglicherweise die Abstände.
- Helfen Sie Ihrer Partnerin, einen **KÜHLEN KOPF ZU BEWAHREN**.
- Holen Sie bei aller Aufregung die sachlichen und fachlichen Informationen präzise ein. Und: Fragen Sie beim Arzt so lange nach, bis Sie verstanden haben, was Sache ist!
- Wenn Ihnen die Diagnosen oder vorgeschlagenen Verhaltensregeln für Schwangerschaft und Geburt über- oder untertrieben vorkommen und Sie unsicher sind, holen Sie eine zweite ärztliche Meinung ein.
- Begeben Sie sich in die Obhut einer Hebamme, die Vorsorgeuntersuchungen durchführt. Gerade bei einer »Risikoschwangerschaft« ist dieser Beistand schon vor der Geburt hilfreich.

Empfehlungen für Risikoschwangerschaften:

- Unterstützen Sie Ihre Partnerin dabei, sich während der Schwangerschaft besonders ausgewogen und **GUT ZU ERNÄHREN**. Viel Gemüse und Obst, kein Fast Food, leichte, vitaminreiche Kost auf mehrere kleine Mahlzeiten über den Tag verteilt – gerade in den letzten Schwangerschaftsmonaten und bei Sodbrennen.
- Sorgen Sie für seelische und mentale Ausgeglichenheit und Entspannung. Entrümpeln Sie Ihren Tag und Ihre Aufgabenliste, und versuchen Sie, sich **ZEIT FÜR IHRE PARTNERSCHAFT** zu nehmen.
- Nicht wenige werdende Mütter neigen dazu, auch während der Schwangerschaft noch ganz ihre »Power-Frau« stehen zu wollen. Beruf, Haushalt, Schwangerschaft – alles kein Problem? Von wegen! Tragen Sie als werdender Vater auch dazu bei, dass Sie beide sich auf die Geburt Ihres Kindes vorbereiten. Den Beruf und alles andere sollten Sie jetzt weniger wichtig nehmen!

Kurz bevor es richtig losgeht

Auch wenn Sie zur Geburt nicht in eine Klinik möchten, sollten Sie und Ihre Partnerin für alle Fälle gerüstet sein. Wenn bei der Geburt Komplikationen auftreten und sie in ein Krankenhaus verlegt werden muss, dann ist fast immer Eile angesagt. Halten Sie also ab drei Wochen vor dem Geburtstermin den KLINIKKOFFER bereit!

3

CHECKLISTE

Der Klinikkoffer: Was Sie alles brauchen …

… für die Geburtsklinik:

- Krankenkassenkarte
- Mutterpass
- Geburtsurkunden der Eltern
- Bademantel
- Nachthemd/weites langes T-Shirt, ideal: vorne aufzuknöpfen zum Stillen
- Warme Socken
- Bequeme Hausschuhe
- Toilettenbedarf, Zahnbürste etc.
- Lippencreme gegen aufgesprungene Lippen
- Duft-Öl, Igel-Massageball, Lieblingsmusik, Walkman, Lektüre, Kartenspiel
- Saure Bonbons, Kaugummis …
- Lieblingstee
- Belegte Brote für den Begleiter/die Begleiterin
- Kekse, Müsliriegel etc.

… für die Wochenstation:

- Schlafanzüge, Nachthemden oder Leggins und T-Shirt
- Große, bequeme Schlüpfer (Vorlagen für den Wochenfluss sollten Platz darin haben!)
- Bustier oder Still-BH
- Kleine Handtücher, Waschlappen
- Lektüre, etwa ein Stillhandbuch
- Schreibutensilien, um die Eindrücke der Geburt und der ersten Tage festzuhalten
- Telefonkarte
- Ohrstöpsel (wegen der Zimmernachbarinnen und deren Babys)

… für den Heimweg:

- Body/Hemdchen, Strumpfhose, Erstlingsmützchen und Söckchen
- Strampelanzug, Pullover und Überkleidung für draußen (z. B. Overall)
- Babyschale fürs Auto
- Warme Decke

Die ersten Wehen: Es geht los

Das sicherste Zeichen dafür, dass die Geburt beginnt, ist das Einsetzen von Wehen. Sehr viele Frauen nehmen dabei ein deutlich spürbares Ziehen im Unterbauch und/oder Rücken wahr. So können auch plötzliche Rückenschmerzen rund um den Geburtstermin das »Startsignal« sein.

Ein weiteres Zeichen für den Geburtsbeginn ist das PLATZEN DER FRUCHTBLASE – auch ohne vorherige Wehentätigkeit. Beim »Blasensprung« kann das Fruchtwasser sowohl tropfenweise als auch in einem Schwall abfließen. Rufen Sie in einem solchen Fall im Kreißsaal oder die geburtsbegleitende Hebamme an und fragen Sie, wie Sie sich weiter verhalten sollen.

Bei manchen Frauen ist auch das LÖSEN DES SCHLEIMPFROPFS am Gebärmuttermund ein Zeichen für den Geburtsbeginn. Dieser Pfropf, der den Muttermund dicht abschließt, kann sich jedoch auch schon einige Zeit vor der Geburt lösen, ohne dass Wehen einsetzen und ohne dass die Schwangerschaft dadurch beeinträchtigt wird. Dass sich der Pfropf gelöst hat, merken Frauen meist daran, dass sie plötzlich eine größere Menge blutigen Schleims im Slip oder in der Toilette vorfinden.

Wenn die Wehen seit einer halben Stunde regelmäßig alle fünf bis sieben Minuten kommen und Ihre Partnerin das Gefühl hat, dass sie unangenehm werden, wird es ZEIT FÜR DEN AUFBRUCH. Wenn Sie zur Geburt in eine Klinik oder ein Geburtshaus fahren, greifen Sie sich den bereitstehenden Klinikkoffer, setzen Sie sich ins Auto – oder noch besser ins Taxi – und fahren los. Wenn Sie Ihr Kind zu Hause bekommen wollen, rufen Sie Ihre Hebamme an. Sie wird Sie nach der Intensität und den Abständen der Wehen befragen und sich dann auf den Weg zu Ihnen machen.

Die Geburt – ein Erlebnis in fünf Phasen

1. Die Eröffnungsphase

In dieser Phase muss sich der Gebärmuttermund auf etwa zehn Zentimeter weiten, um dem Kopf Ihres Kindes ausreichend Platz zu bieten. Das kann zwischen einer und zehn oder auch noch mehr Stunden dauern. Die Eröffnung wird von Wehen begleitet, die allmählich stärker werden. Helfen Sie Ihrer Partnerin so gut Sie können, MIT DEN WEHEN ZU ATMEN.

3

2. Die Übergangsphase

In der Übergangsphase, die meist nur einige Minuten dauert, ist der Gebärmuttermund noch nicht vollständig geöffnet. Ihre Partnerin kann aber schon einen Pressdrang haben. Den muss sie jetzt aber noch unterdrücken, bis der Muttermund wirklich vollständig eröffnet ist. Wie sie dabei richtig hechelt oder prustet, hat sie im Geburtsvorbereitungskurs gelernt.

Einige Frauen haben in dieser Geburtsphase das Gefühl »Ich kann nicht mehr! Ich gehe jetzt!« Deshalb wird sie auch »Verzweiflungsphase« genannt. Hier sind Sie besonders gefragt, um Ihre Partnerin zu beruhigen, ihr Mut zu machen und sie an das richtige Gegenatmen zu erinnern.

3. Die Austreibungs- oder Pressphase

Jetzt wird Ihr Kind durch den Geburtskanal geschoben. Der Pressdrang ist dabei groß. Ihre Partnerin sollte ihm nachgeben und AKTIV MITSCHIEBEN. Die Hebamme gibt ihr die richtige Anleitung dafür.

Richtiges Atmen, lautes Stöhnen und Schreien verstärken die Kraft Ihrer Partnerin. Sie sind kein Ausdruck von Schwäche, sondern der ungeheuren Energie, mit der sie Ihrem Kind auf die Welt hilft. Für viele Frauen ist eine aufrechte, hockende oder auch auf einem Gebärhocker sitzende Stellung angenehm für die Geburtsphase – ermuntern Sie Ihre Partnerin, MEHRERE POSITIONEN auszuprobieren.

4. Ihr Kind ist da!

Ihr Baby sollte mit einem angewärmten Handtuch empfangen werden. Lassen Sie es Ihrer Partnerin – oder sich selbst – am besten gleich auf den nackten Oberkörper legen. Berühren und streicheln Sie Ihr Kind. Genießen Sie diese ersten Minuten mit Ihrem Baby, und lassen Sie Ihren Gefühlen ruhig freien Lauf. Es ist sehr gut, wenn Sie jetzt EINE WEILE RUHE mit ihm haben können (→ Seite 80).

Möglicherweise macht Ihr Baby schon nach einigen Minuten Schmatzbewegungen mit seinem Mund. Das ist die Gelegenheit für Ihre Partnerin, es zum Stillen anzulegen. Bitten Sie die Hebamme, ihr beim ersten Mal zu helfen und dabeizubleiben.

5. Die Nachgeburtsphase

Auch wenn Ihre Partnerin und Sie Ihr Kind bereits in den Armen halten, ist die Geburt noch nicht ganz beendet. Gratuliert wird Ihnen meist erst dann, wenn auch die NACHGEBURT, die Plazenta, die Nabelschnur und die Eihäute vollständig geboren sind. Das geschieht in der Nachgeburtsphase, meist fünf bis 20 Minuten nach der Geburt.

Bei der Ablösung der Plazenta hilft das Stillen, da durch das Saugen an der Brust das Stillhormon Oxytozin gebildet wird. Es hilft der Gebärmutter dabei, sich zusammenzuziehen, und sorgt so mit für die Nachwehen. Oft helfen Hebammen der Plazenta etwas nach, indem sie leicht auf den Unterbauch drücken. Ist die Plazenta geboren, untersucht die Hebamme, ob sie vollständig ist.

Erfahrungsberichte

Paul, 32, 1 Kind:

Drei Tage nach dem errechneten Termin sagte Anne: »Ich glaube, es geht los!« Sie spürte Wehen, ein starkes Ziehen im Bauch, so wie es die Hebamme beschrieben hatte. Weil der Weg zu unserer Klinik weit war – eine Stunde – nahmen wir unsere Sachen und fuhren los. Ich kannte die Strecke, weil ich sie einige Male gefahren war, recht gut, und wurde nicht nervös. Anne blieb im Auto ruhig – das Ziehen kam ab und zu, war aber nicht schmerzhaft. In der Klinik angekommen, sagte die Hebamme gleich: »Das dauert noch ein Weilchen. Gehen Sie doch draußen noch ein bisschen spazieren.« Die Bewegung an der frischen Luft tat uns richtig gut – wir konnten uns entspannen und uns mental auf die Geburt einstellen. Sonst, ohne den Spaziergang, wäre es doch etwas hektisch gewesen. Erst nach drei Stunden ging es dann richtig los.«

Gerhard, 25, 1 Kind:

Unser Kind war zehn Tage überfällig. Wir mussten seit ein paar Tagen jeden Tag zur Kontrolle in die Klinik kommen. Dann sagte der Gynäkologe, dass wir am nächsten Tag um 8 Uhr in der Klinik sein sollten. Die Geburt würde dann eingeleitet werden. Als Katrin am nächsten Morgen aufwachte, spürte sie ein starkes Ziehen im Bauch. Es wurde bald stärker und kam immer häufiger. Wir gingen zur Klinik – dahin waren es Gott sei Dank nur zehn Minuten Fußweg. Die Geburt verlief wie im Bilderbuch – ganz ohne Wehentropf. Um 11.25 Uhr erblickte Timo das Licht der Welt – frisch und munter, mit wachen, neugierigen Augen. Er war ja praktisch auch schon zehn Tage alt.

Ihre Rolle bei der Geburt

Wenn Sie Ihre Partnerin bei der Geburt begleiten, dann tun Sie etwas sehr Wichtiges. Sie sind bei ihr. Sie sind da, und das schätzen die meisten Gebärenden mehr als alles andere.

Viele Frauen berichten nach der Geburt, dass ihr Partner für sie der wichtigste Helfer war – **WICHTIGER ALS HEBAMME UND ARZT!** Durch Ihre Anwesenheit unterstützen Sie Ihre Frau vor allem seelisch – Sie geben ihr noch mehr Kraft, und das ist das Wichtigste.

Jede Geburt ist anders. Und je nachdem, was Ihre Partnerin währenddessen von Ihnen braucht, liegen Ihre Aufgaben irgendwo zwischen …

… Trainer und Coach

Vielleicht möchten Sie während der Geburt gern aktiv werden, die Initiative ergreifen. Sie werden ungeduldig und unzufrieden, weil Sie meinen, nicht wirklich etwas Wichtiges tun zu können.

Doch, Sie können! Sie dürfen Ihre Partnerin anfeuern (vielleicht nicht ganz so laut wie Ihre Lieblingsmannschaft im Fußballstadion). Sie können ihr Mut zusprechen und ihr sagen, dass sie mit jeder Wehe ihrem Kind näher kommt. **ALL DAS IST SEHR, SEHR WICHTIG!**

… Anwalt und Vermittler

Es ist möglich, dass Ihre Partnerin irgendwann nicht mehr kann. In dieser Situation können Sie die Rolle des Vermittlers zwischen ihr und der Hebamme und den Ärzten einnehmen.

Vor allem während der Wehen ist Ihre Frau mit der Geburtsarbeit beschäftigt. Sie kennen Ihre Partnerin am besten, Sie wissen, was sie jetzt braucht, was ihr hilft – und können so für die Hebamme ein Übersetzer sein. Umgekehrt können Sie Vorschläge und Anweisungen der Hebamme für Ihre Frau wiederholen und verstärken. Sie vermitteln ihr dadurch noch mehr Klarheit und **ERLEICHTERN SO DEN GEBURTSPROZESS**. Nicht sinnvoll ist es, während der Geburt »einfach irgendwie« die Initiative zu ergreifen – zum Beispiel, auf einer bestimmten Gebärposition, die Sie beide geübt haben, zu bestehen. Fragen Sie auch nicht, wie lange es denn noch dauert. Ihre Partnerin ist selbst unruhig genug. Und: Lassen Sie die Videokamera zu Hause! Das Gefühl, ständig beobachtet zu werden, kann den Geburtsverlauf beeinträchtigen.

> Nach der Geburt unserer Tochter bin ich oft gefragt worden: »Warst Du bei der Geburt dabei?« Ich habe dann immer »ja« gesagt und ergänzt: »Und auch bei den Wehen!«
>
> [Michael, 28 | *1 Kind*]

So unterstützen Sie Ihre Partnerin

Die Geburt ist Schwerstarbeit für Ihre Partnerin. Sie wird Ihre Hilfeleistungen schätzen, wenn sie zu ihren jeweiligen Bedürfnissen passen. Sie können ihre Unannehmlichkeiten verringern, indem Sie:

- Ihre Partnerin loben: (»Ja, gut machst du das! Wow, hast Du eine Kraft! Klasse!«);

- ihre Hände halten (nehmen Sie beide vorher Ihre Ringe von den Fingern und schneiden Sie die Fingernägel kurz);
- sie an Übungen aus dem Geburtsvorbereitungskurs erinnern, zum Beispiel die Wehen zu veratmen;
- sie halten und stützen;
- in den Wehenpausen ihr Kreuzbein sanft drücken oder massieren – Aber fragen Sie bitte zuerst, ob ihr in diesem Moment eine Massage angenehm ist;
- auf andere Weise durch Halten oder Gegendrücken als »Krafttrainer« assistieren;
- mit einem feuchten Waschlappen die Stirn kühlen;
- einen Apfel schälen, in Stücke schneiden und ihr reichen;
- ein Glas Wasser oder Tee anbieten…

» Ich wollte meiner Frau **helfen**, so gut es geht. Ich war eine Art **Bindeglied** zwischen dem medizinischen **Personal** und ihr. Es war für mich sehr **wichtig**, diese **Rolle** gut auszufüllen. «

[Klaus, 30 | *1 Kind*]

Nehmen Sie's nicht persönlich

Ihre Unterstützung wird Ihrer Frau noch mehr Kraft für die Geburt geben – SEELISCHE KRAFT. Ihre Beiträge sorgen dafür, dass geteiltes Leid zu halbem Leid wird.

Erwarten Sie aber nicht, dass sich Ihre Frau im selben Augenblick, wo Sie ihr helfen, überschwänglich bei Ihnen bedankt. Ihre Partnerin ist jetzt gerade mit anderem beschäftigt. Sie ist stark belastet, emotional und körperlich. Sie wird es später nachholen. Selbst wenn sie bei der Geburt auf Ihre Hilfsangebote nicht so reagiert, wie Sie es sich wünschen: **SEIEN SIE NICHT VERLETZT.** Fragen Sie sie vorsichtig, was sie stattdessen möchte.

Die Geburt ist eine Ausnahmesituation für Sie beide. Auch wenn sie normalerweise einen freundlichen Umgangston miteinander pflegen, kann es ein, dass Ihre Partnerin Sie (oder auch das Klinikpersonal) während der Geburt »anschnauzt«. Sehen Sie ihr das nach und nehmen Sie es nicht persönlich.

Erfahrungsbericht

Paul, 32, 1 Kind:

Im Krankenhaus konnte ich sehr gut helfen. Das war richtig toll! Es war noch nicht ganz so weit, als wir in der Klinik ankamen. Die Hebamme sagte, wir sollten noch spazieren gehen. Ich habe Nicole natürlich begleitet. Es war ein schöner Spaziergang, eine halbe Stunde, draußen in der stürmischen Herbstnacht. Bei der Geburt habe ich Nicole dann gestützt – sie konnte sich festhalten. In der Austreibungsphase hat Nicole ihre Hände gegen meine Unterarme gedrückt und geschoben. Das war richtiges Krafttraining – für mich jedenfalls. Hinterher hat Nicole zu mir gesagt: Toll, dass du da warst und das gemacht hast! Als Toni, unsere Tochter, dann draußen war, da haben wir Kopf an Kopf gelegen und haben unser Kind angeschaut, das auf Nicoles Bauch lag. Und Toni hat auch gleich die Augen aufgemacht und uns angeguckt – und leise geseufzt. War das schön!

Hilfen bei der Geburt: Technik, Medikamente & Co.

Manche werdende Väter haben zwiespältige Gefühle angesichts der Technik, mit der Kreißsäle heute ausgestattet sind: Einerseits gibt es ihnen SICHERHEIT, zu wissen, dass für Kontrolle und Notfall alles bereitsteht. Andererseits erschrecken manche vor den Apparaten, fühlen sich beherrscht und entmündigt.

Damit Sie wissen, welche Geräte (je nach Geburtsort gut sichtbar aufgestellt oder im Schrank versteckt) Ihnen im Kreißsaal Gesellschaft leisten, hier ein kurzer Überblick:

Technische (Geburts-)Helfer

1. Das CTG/CARDIOTOKOGRAMM ist der Herzton- und Wehenschreiber. Er steht auch in fast jedem Geburtshaus. Manche Hausgeburtshebammen verfügen über ein mobiles Gerät. Es kann die notwendigen Informationen über die Herzfrequenz und damit die Sauerstoffversorgung des Kindes liefern. Es wird meist – und im besten Fall – nicht permanent, sondern nur ab und zu zur Kontrolle eingesetzt.
2. Weicht das CTG-Signal von der üblichen Toleranz ab, dann liefert das BLUTGASANALYSEGERÄT die nächsten Befunde. Es kann den pH-Wert des kindlichen Blutes ermitteln. Wenn dies nötig sein sollte, wird dem Kind während der Geburt vorsichtig in die Kopfhaut gepikt und ein Tropfen Blut entnommen. Auf diese Weise kann besser darüber entschieden werden, ob medizinisch in die Geburt eingegriffen werden muss oder nicht.

Ob und wie häufig diese Geräte eingesetzt werden, darüber entscheiden Ärzte und Hebammen der Situation entsprechend – und vor allem nach Erfahrung – unterschiedlich.

3 Mit dem INFUSIOMAT wird die Geschwindigkeit einer Infusion geregelt. Bei Wehenschwäche können wehenfördernde, bei zu starken Wehen wehenhemmende Medikamente per Infusion gegeben werden. Deren Dosierung wird über den Infusiomat gesteuert. Ob, wann und wie viel: Auch dies ist eine Frage der Herangehensweise.

4 Mit dem BLUTDRUCKMESSGERÄT wird – auch bei außerklinischen Geburten – der Blutdruck der Gebärenden überwacht. Auch dies geschieht mehr oder weniger häufig, je nach Befindlichkeit der werdenden Mutter und der Erfahrung und Einstellung von Hebammen und Ärzten. Falls der Blutdruck plötzlich steigt, kann mit Medikamenten gegengesteuert werden.

» Die Technik im Kreißsaal hat mir keine Angst bereitet. Die meisten Geräte kannte ich nicht, bis auf den Wehenschreiber. Ich habe gedacht: Wenn wirklich was schief gehen sollte, dann ist es eine Hilfe! «

[Olaf, 38 | *2 Kinder*]

Schmerzen lindern

Viele Ärzte und Hebammen sind der Ansicht, dass bei unkomplizierten Geburtsverläufen auf schmerzstillende Mittel verzichtet werden kann: Eine gut vorbereitete Frau in guter körperlicher und seelischer Verfassung benötigt meist keine solchen Hilfsmittel. Wenn die Geburt sich jedoch lange hinzieht und die Frau müde und schwach wird, können sie hingegen sinnvoll sein.

Mögliche Maßnahmen bei Schmerzen

Beschäftigen Sie sich – rechtzeitig vor der Geburt – gemeinsam mit Ihrer Partnerin mit Möglichkeiten der SCHMERZLINDERUNG. Die realen Bedingungen der Geburt können allerdings andere Entscheidungen notwendig machen.

Die Möglichkeiten der Schmerzerleichterung lassen sich in vier Bereiche einteilen: eigene Aktivität, eine entspannte und vertrauensvolle Atmosphäre, Unterstützung durch »Alternative Medizin« und schließlich Medikamente.

Eigene Aktivität:

- Entspannungs- oder Atemübungen
- Bewegung
- Wärme (z. B. Wärmflasche)
- ein Bad in der warmen Wanne
- Massage

Erleichterung durch entspannte Atmosphäre:

- Ruhe, gedämpftes Licht
- Anwesenheit einer vertrauten Person
- Vertrauen in die Gebärfähigkeit der Frau
- Aufmerksames und sicheres »Hüten« durch die Hebamme
- Vermeidung von Störung durch wechselndes Personal

Alternative Medizin:

- Aromatherapie
- Kräuter-Tee
- Bachblüten
- Dammmassage
- Akupunktur
- Hömöopathie

Medikamente:

- Krampflösende Mittel
- Beruhigungsmittel (mögliche Nachteile: Schläfrigkeit des Kindes nach der Geburt und damit verbundene Stillprobleme)
- Schmerzmittel (mögliche Nachteile: können den Kreislauf der Mutter beeinträchtigen und das Kind schläfrig machen)
- Periduralanästhesie (PDA)

PDA – Pro und Contra

Die PDA (Periduralanästhesie) wird mittlerweile bei etwa der Hälfte aller Klinikgeburten eingesetzt, meist geschieht das auf Wunsch der Frauen. Was spricht für diese Methode der Schmerzlinderung, was dagegen?

Ärzte in der Geburtshilfe meinen: Bei komplizierten, langen Geburtsverläufen kann die PDA ein Segen sein.

EIN GROSSER VORTEIL DER PDA ist, dass die Frau bei Bewusstsein bleibt. Sie bleibt klar im Kopf, anders als bei Schmerzmitteln auf Morphiumbasis. Im Notfall kann die Dosierung der PDA auch so verstärkt werden, dass bei vollem Bewusstsein schmerzfrei ein Kaiserschnitt durchgeführt werden kann.

EIN NACHTEIL DER PDA ist der Verlust des Gefühls für die eigene körperliche und seelische Leistung bei der Geburt. Ist sie hoch dosiert, spürt die Frau die Geburtswehen kaum. Sie merkt oft nicht mehr, wann sie ihrem Kind durch Schieben und Pressen auf die Welt helfen muss. Viele Frauen beschreiben das Geburtserlebnis mit PDA daher als weniger intensiv, auch in der Erinnerung. Gelegentlich treten als Nebenwirkung der PDA starke und lang anhaltende Kopfschmerzen auf. Andere Nebenwirkungen sind nach ärztlicher Erfahrung seltener.

Werdende Väter haben sehr unterschiedliche Meinungen, was die PDA betrifft:

- Die einen raten ihren Frauen zu, weil sie es nicht ertragen können, sie leidend zu erleben.
- Die anderen raten ihnen ab, weil sie eine »natürliche« Geburt möchten und bedauern, einen Teil ihrer Begleiterrolle zu verlieren.

Ein pauschales »richtig oder falsch« zur PDA gibt es also nicht. Wägen Sie das **FÜR UND WIDER** gut ab. Legen Sie sich vorab am besten nicht dogmatisch fest, sondern entscheiden Sie in der konkreten Situation nach Absprache mit Hebammen und Ärzten.

Erfahrungsbericht

Klaus, 30, 1 Kind:

Am zehnten Tag nach dem errechneten Geburtstermin wurden wir in die Klinik beordert. Von Wehen keine Spur. Erst bekam Sandra Prostaglandin-Gel verabreicht. Nach vier Stunden – keine Wehen. Dann langes Warten. Nichts passierte. Sandra war todmüde. Nach vierzehn Stunden in der Klinik wurde die Geburt per Infusion mit wehenfördernden Mitteln eingeleitet. Plötzlich ging es wie verrückt los mit den Wehen – von null auf hundert in zehn Sekunden, und sie bekam extreme Schmerzen. Ich machte mir große Sorgen, sie litt so sehr und wurde immer blasser! Sie wollte die PDA. Die Hebamme schlug zur Schmerzlinderung eine Spritze vor. Die wirkte überhaupt nicht! Sandra bat noch mal um die PDA. Nun sagten sie okay, und ich musste rausgehen. Das wollte ich nicht, aber Widerrede war nicht.

Als ich zurückkam, strahlte meine Frau. Sie rief »Hallo Klaus!« – Und vorher war sie scheintot! Ich glaube, in dieser Situation war die PDA Gold wert.

Mit Schmerzen und Ängsten umgehen

Der deutlich zunehmende Einsatz der PDA und anderer Schmerzmittel zeigt an, dass die Angst vor Schmerzen immer mehr zuzunehmen scheint. Es ist normal, dass werdende Väter und Mütter sich während der Schwangerschaft und vor der Geburt Sorgen um die Gesundheit ihres Kindes machen. Positiv ausgedrückt, dienen alle vorgeburtlichen Vorsorgemaßnahmen und Untersuchungen dazu, das Kind im Mutterleib möglichst zu schützen, eventuelle Fehlentwicklungen zu erkennen und entsprechend behandeln zu können.

Bei vielen werdenden Vätern – und selbstverständlich auch Müttern – lösen Vorsorgeuntersuchungen und Pränataldiagnostik jedoch auch

Ängste aus: Rund um Schwangerschaft und Geburt scheinen jede Menge Risiken und Gefahren zu lauern. Die Ängste drehen sich darum, dass es dem Kind nicht gut gehen könnte, Anomalien, Krankheiten oder Missbildungen drohen oder die Schwangerschaft kompliziert und gefahrvoll verlaufen könnte.

Viele Hebammen und geburtshelfende Ärzte meinen, dass werdende Mütter und Väter sich immer weniger auf ihre INTUITION und das eigene Gefühl verlassen. Das Selbstvertrauen in Sachen Schwangerschaft und Geburt geht stark zurück – obwohl Frauen seit Urzeiten Kinder bekommen, und das noch nie so gefahren- und komplikationsarm war, wie heutzutage. Auf der anderen Seite erleben wir heute kaum noch Geburten in unserem privaten Umfeld mit. Der ganz normale Schritt ins Leben wird also immer unvertrauter und damit beängstigender. Eine gute Hilfe gegen diese Unsicherheit ist der AUSTAUSCH MIT GEBURTSERFAHRENEN ELTERN.

TIPP

Nutzen Sie die Erfahrungen anderer!

→ Mehr Selbstvertrauen rund um Schwangerschaft und Geburt können Sie bekommen, indem Sie mit erfahrenen Eltern oder auch den eigenen Eltern und Schwiegereltern über Schwangerschaft und Geburt sprechen. Fragen Sie nach, wie werdende Mütter aus Ihrem Umfeld mit Schmerzen umgegangen sind.
Die Weitergabe von Wissen und persönlichen Erfahrungen von Generation zu Generation ist wichtig – nutzen Sie diesen Schatz!
Sprechen Sie mit Ihrer Partnerin über ihren Umgang mit Schmerzen. Tabuisieren Sie das Thema nicht – Reden kann helfen, Ängste abzubauen.

Kaiserschnitt – und Ihre Rolle als Vater

Etwa 30 Prozent aller Kinder in Deutschland kommen durch eine Kaiserschnittgeburt zur Welt. In den letzten 20 Jahren ist dieser Wert beständig angestiegen. Ein Kaiserschnitt kann in Notsituationen das Leben von Mutter oder Kind retten. Ohne triftigen medizinischen Grund sollte er jedoch nicht angewendet werden, da die Risiken für die Mutter deutlich höher sind als bei einer vaginalen Geburt.

Grundsätzlich wird zwischen **PRIMÄREM UND SEKUNDÄREM KAISERSCHNITT** unterschieden.

Beim primären, das heißt geplanten Kaiserschnitt ist bereits vor der Geburt klar, dass er durchgeführt wird. Die wichtigsten medizinischen Gründe für einen geplanten Kaiserschnitt sind:

1. Eine Lage des Kindes im Mutterleib, die eine normale Geburt deutlich erschwert (Quer- oder Schräglage; Beckenendlage bei zu schmalem Becken der Mutter);
2. Wenn die Plazenta vor dem Muttermund liegt (»Plazenta praevia«);
3. Wenn die Mutter vorher bereits eine oder mehrere Kaiserschnittgeburten hatte;
4. Wenn mindestens Drillinge zur Welt kommen.

Der wichtigste nichtmedizinische Grund für einen Kaiserschnitt ist der Wunsch der Mutter. Auslöser für den »**WUNSCHKAISERSCHNITT**« ist häufig eine **DIFFUSE ANGST** vor einer normalen Geburt. Dazu gehört die Sorge, dass durch eine Entbindung das Becken zu stark belastet wird. Oder der Gedanke, dass die Vagina allein dem Sex vorbehalten sein sollte: Eine Geburt würde den »Liebeskanal« (»Love Channel«) beschädigen, »entwerten« oder zu sehr weiten.

Einerseits sind diese Ängste oder Einstellungen aus medizinischer Sicht nicht zwingend. Andererseits wollen viele Ärzte und Kliniken sich den Wünschen werdender Eltern nicht entgegenstellen. Stichwort »**PATIENTENAUTONOMIE**«: Soweit es verantwortbar ist, soll die Patientin entscheiden können, wie sie behandelt werden möchte. Oft befürchten Kliniken auch, rechtlich belangt zu werden, wenn bei einer normalen Geburt unvorhergesehene Komplikationen auftreten. Die Bereitschaft, auch kleinere Risiken einzugehen, ist daher eher gering und die Tendenz zur Kaiserschnittgeburt relativ hoch.

Ihre Partnerin und Sie sollten bei der Überlegung, einen Wunschkaiserschnitt durchführen zu lassen, bedenken, dass es sich dabei um eine Operation mit all ihren Risiken handelt. Beim Kaiserschnitt werden sieben Haut-, Fett-, Muskel- und sonstige Gewebsschichten durchtrennt und anschließend wieder zusammengenäht. Dies ist eine richtige Operation, auch wenn die Schnitte immer kleiner werden oder beim sogenannten »sanften« Kaiserschnitt nicht mehr nur geschnitten, sondern auch gerissen wird, weil dann das Gewebe schneller verheilt. Letztlich muss auch hier eine Öffnung von 10 bis 12 Zentimetern erreicht werden, durch die das Kind passt.

Bei einem Kaiserschnitt besteht ein deutlich **HÖHERES KOMPLIKATIONSRISIKO** als nach einer normalen Geburt. Zudem: Bei einem primären Kaiserschnitt erlebt die Mutter keine Wehen. Die wichtige Bedeutung der Wehen für das Kind (Anregung von Kreislauf, Atmung und Stoffwechsel), die Wundschmerzen der Mutter nach dem Kaiserschnitt und die damit verbundenen Bindungs- und Stillschwierigkeiten werden häufig nicht genügend bedacht.

> Eine Geburt mag **gefährlich** sein.
> Aber auch nicht gefährlicher als das folgende **Leben**.
>
> [Erhard Blanck | *deutscher Heilpraktiker*]

Der sekundäre, ungeplante Kaiserschnitt wird in der Regel durchgeführt, wenn es bei einer normal begonnenen Geburt zu Komplikationen kommt oder wenn vor der eigentlichen Geburt Situationen eintreten, in denen das Kind schnell »geholt« werden muss.

Die zwei häufigsten Gründe für die kurzfristige Entscheidung für einen Kaiserschnitt während des normal begonnenen Geburtsvorgangs sind:

1. Der sogenannte GEBURTSSTILLSTAND. Hier werden die Wehen zu schwach oder sie hören ganz auf. Die Gebärende ist zu erschöpft, das Baby kommt nicht weiter. Für den Einsatz von Saugglocke oder Geburtszange liegt es jedoch noch zu hoch im Becken, oder der Muttermund ist noch nicht weit genug geöffnet.
2. Der Herzschlag des Kindes verändert sich – gemessen mit dem CTG. Dies legt nahe, dass es nicht ausreichend mit Sauerstoff versorgt wird. Ein Kaiserschnitt kann in einer solchen Situation zwingend notwendig werden. Er kann das einzige Mittel sein, Ihr Kind vor dauerhaften Schäden zu bewahren und sein LEBEN ZU RETTEN.

Ihre Aufgaben beim Kaiserschnitt

Sowohl der geplante als auch der ungeplante Kaiserschnitt kann unter lokaler Betäubung – PERIDURAL- ODER SPINALANÄSTHESIE, die Betäubung über die das Rückenmark umgebende Flüssigkeit (→ Seite 71) – oder unter VOLLNARKOSE durchgeführt werden.

In beiden Fällen ist es wichtig, dass Sie dabei sind, genau wie beim normalen Geburtsverlauf – für Ihr Kind, für Ihre Partnerin und natürlich für Sie selbst!

Normalerweise besteht weder aus ärztlicher noch aus klinik-organisatorischer Sicht ein Grund dafür, dass der Vater von der Kaiserschnittgeburt ausgeschlossen wird – egal ob der Kaiserschnitt unter örtlicher Betäubung (PDA) oder unter Vollnarkose stattfindet. Im Gegenteil: Für die Mutter und für das Baby ist die Anwesenheit des Vaters hier sogar besonders wichtig. Gleichwohl werden Väter insbesondere beim Kaiserschnitt unter Vollnarkose oft aufgefordert, den OP-Raum zu verlassen – fragen Sie, warum das nötig sein soll; am besten aber klären Sie vor der Operation, ob Sie dabeibleiben können.

Wird der Kaiserschnitt mit einer PDA durchgeführt, können Sie Ihrer Frau **DIE HAND HALTEN**, sie ermutigen und so die Situation erleichtern. Keine Angst, Sie müssen nicht mit ansehen, wie der Bauch aufgeschnitten wird. Ab Brusthöhe ist der OP-Bereich mit einem Tuch abgehängt, so dass Sie und Ihre Partnerin den Kaiserschnitt nicht sehen können. Akustisch werden Sie vom Geschehen aber nicht ausgeschlossen.

Wenn Ihre Frau unter Vollnarkose steht, sollten Sie dabeibleiben, um ihr nachher von der Geburt Ihres Kindes berichten zu können und um direkt nach dem Kaiserschnitt Ihr Baby in Empfang zu nehmen. So kommen Sie schneller und stärker in die **VÄTERLICHE VERANTWORTUNG**: Sie nehmen Ihr Kind allein entgegen und begrüßen es auch stellvertretend für Ihre Partnerin.

Wenn Ihr Baby medizinisch versorgt ist und nicht in die Kinderklinik muss, legen Sie es sich auf Ihren nackten Oberkörper und geben Sie ihm **WÄRME UND GEBORGENHEIT**. Nehmen Sie Ihr Kind so bald es geht in den Arm, halten und tragen Sie es, nehmen Sie Kontakt auf. Je mehr Zeit Sie in Ruhe miteinander verbringen können, desto besser – für Sie und Ihr Baby.

Nicht wenigen Frauen geht es nach einer Kaiserschnittgeburt unter Vollnarkose psychisch schlecht. Da sie die Geburt nicht bewusst erlebt haben, fehlt dieses wichtige Erlebnis in ihrem Gedächtnis. So kann das Gefühl entstehen, versagt zu haben. Deshalb ist es so wichtig, dass die Mutter das Ereignis »nachholen« kann – und dafür sind Sie die bedeutsamste Person. **ERZÄHLEN SIE IHRER PARTNERIN AUSFÜHRLICH VON DER KAISERSCHNITTGEBURT**, eventuell auch mehrmals, in jeweils geeigneten Situationen.

Unvorhergesehene Ereignisse bei der Geburt

Insgesamt selten – und meist auch nicht ohne Ankündigung – verläuft eine Geburt nicht so, wie die werdenden Eltern sich das vorgestellt oder gewünscht haben:

- Die Geburt dauert lange, sehr lange, und ist sehr schmerzhaft
- Das Kind kommt viel zu früh.
- Es muss ihm mit Zange oder Saugglocke auf die Welt geholfen werden.
- Das Leben des Babys ist bei der Geburt bedroht, sei es aufgrund von Sauerstoffmangel oder aus anderen Gründen.
- Ein Kaiserschnitt wird notwendig.

Wenn die Geburt komplizierter verläuft, als sie es erwartet haben, bekommen viele werdende Mütter und Väter Angst, große Angst, zum Teil auch Panik. Ganz plötzlich sagt der Arzt im Kreißsaal: Wir müssen Ihr Baby leider per Kaiserschnitt holen. Die Eltern fragen sich: **WARUM? WAS BEDEUTET DAS?**

Wenn in einer solchen unerwartet komplizierten Situation die Kommunikation zwischen Arzt und Hebamme auf der einen Seite und Mutter und Vater auf der anderen Seite plötzlich abreißt, können Gefühle ohnmächtiger Angst entstehen. Plötzlich ist ein zweiter Arzt im Raum, die Ärzte agieren schnell, sie flüstern miteinander, und das auch noch in ihrem ohnehin unverständlichen Fachjargon … Die werdenden Eltern bekommen das Gefühl, es ginge um Leben und Tod, obwohl das sehr selten der Fall ist.

Wenn Ihnen die Situation riskant erscheint und Sie den Überblick verlieren – versuchen Sie, **DEN INFORMATIONSFLUSS WIEDER HERZUSTELLEN**. Fragen Sie Ärzte oder Hebammen, was gerade passiert und was getan wird. Versuchen Sie, ruhig zu bleiben. Wenn möglich, sagen Sie Ihrer Frau auf ruhige und verständliche Weise, was passiert. Das kann Ihnen beiden Angst und Panik nehmen.

Manchmal gelingt diese Informationsvermittlung jedoch nicht – oder sie hilft nicht, trotz aller intensiver Versuche. So kann es zu einer psychischen Krise kommen. Für solche Krisen nach Geburtserlebnissen gibt es kein einheitliches professionelles Hilfesystem. Wenn Sie betroffen sein sollten, wenden Sie sich am besten noch im Krankenhaus an die Hebammen und Ärzte. Während der Wochenbettphase berät Sie die nachsorgende Hebamme. Die Landesverbände des Bundes Deutscher Hebammen nennen Ihnen darüber hinaus Kolleginnen, die für die UNTERSTÜTZUNG IN KRISENSITUATIONEN nach der Geburt besonders fortgebildet sind (→ Anhang Seite 173).

Eine Krisenreaktion ist völlig normal nach einem schmerzhaften Ereignis. Es ist wichtig und richtig, dass Sie in einer solchen Situation überhaupt reagieren und nicht schockiert »einfrieren«. Viele Männer erzählen, dass sie in einer Krise aggressiv wurden und über ihre Wutausbrüche erschrocken waren. Wenn Psychologen ihnen dann sagten, dass es vielen anderen Männern und auch Frauen ebenso erging, waren die betroffenen Männer oft erleichtert.

Was können Sie in einer Krisensituation tun[3]? Ganz wichtig ist, dass Sie über das Geschehnis reden. Viele Männer meinen, dass sie besonders stark sein müssen, wenn es der Partnerin schlecht geht. Sie trauen sich nicht, ihre Trauer, Angst oder Schwäche zu zeigen. Oft hilft es der Frau jedoch mehr, wenn sie hört, wie nah auch ihrem Partner das Erlebte geht.

Nicht alle Eltern benötigen in Krisensituationen professionelle therapeutische Hilfe. Aber: Es ist weder ein Zeichen von Schwäche noch eine Niederlage, wenn man sich diese Unterstützung holt, zum Beispiel bei Familienberatungsstellen oder niedergelassenen Psychotherapeuten.

Die ersten Minuten mit Baby

Sie haben es geschafft: Ihr Kind liegt auf dem Bauch Ihrer Partnerin – oder auch in Ihrem Arm. Sie haben tausend Gründe, sich jetzt riesig zu freuen, Tränen zu vergießen, einmal tief durchzuatmen, Ihr Herz noch einmal ganz weit aufzumachen und EINE HERZLICHE BEGRÜSSUNG auszusprechen. Jeder tut das auf seine ganz spezielle Art und Weise.

Diese ersten Minuten mit Ihrem Kind sind sehr wichtig. Sie begrüßen es, Sie nehmen mit Leib und Seele Kontakt zu ihm auf. Vielleicht sind Sie auch überrascht darüber, wie Ihr Baby jetzt tatsächlich aussieht: Meistens ist ein Neugeborenes etwas schrumpliger und weniger rosig, als die Eltern es erwartet haben. Und häufig ist es noch kleiner, als sie es sich vorgestellt hatten – auf jeden Fall aber ist für alle Mütter und Väter ihr Baby das süßeste auf der Welt.

Kurz, es entsteht jetzt eine Beziehung zwischen Ihnen und Ihrem »wirklichen« Kind. Entwicklungspsychologen nennen diese Beziehungs- und Kontaktaufnahme in den ersten Minuten nach der Geburt »BONDING«. Das hat nichts mit James Bond zu tun, sondern bedeutet so viel wie »sich fest verbinden« oder »eine feste Verbindung herstellen«. Hierfür haben Sie alle – Kind, Mutter und Vater – Zeit zu dritt in aller Ruhe verdient. Wenn das Klinikpersonal Sie eine Weile allein lassen kann – sehr gut! Wenn Licht und Geräusche dabei gedämpft sein können – hervorragend!

Das Baby sollte erst nach dieser Phase der Ruhe und des Unter-sich-Seins gewaschen, gewogen und angezogen werden. Sichern Sie sich Ihre Zeit fürs Bonding. Stellen Sie vor der Geburt, durch Gespräche mit Hebamme und Ärzten sicher, dass Sie nach der Geburt diese UNGESTÖRTE ZEIT ZU DRITT haben.

Falls Sie diese Möglichkeit nicht haben: Die »Bonding«-Phase ist nicht allein auf die ersten Minuten nach der Geburt beschränkt. Auch wenn es ideal wäre, wenn Sie Ihrem Kind bei den ersten Eindrücken, die es von der Welt bekommt, ganz nahe sind. Es kann sein, dass Ihr Baby nicht gleich nach der Geburt bei Ihnen sein kann, etwa weil es medizinisch versorgt werden muss. Es kommt auch vor, dass eine völlig erschöpfte Mutter zur Kontaktaufnahme zum Baby nicht mehr fähig oder bereit ist. Aber Sie, der Vater, sind ja auch da und in dieser Situation besonders wichtig: Sie kümmern sich um Ihr Kind, während Ihre Partnerin sich ein wenig erholen kann.

3

Wenn Sie nicht gleich nach der Geburt die Möglichkeit zur ruhigen und sanften Kontaktaufnahme zu Ihrem Kind haben, brauchen Sie nicht zu fürchten, dass die Chance zur Beziehungsaufnahme nun gestört oder gar zerbrochen ist.

Sie und Ihr Kind werden sich in den nächsten Tagen und Wochen noch viel besser kennen lernen und eine immer schönere und **INTENSIVERE BEZIEHUNG** entwickeln. Nehmen Sie sich so viel Zeit wie möglich dafür.

Ihre »Geburt« als Vater

Mit der Geburt Ihres Kindes sind Sie vom Mann zum Vater geworden. Jetzt geht es erst richtig los: Mit der Verantwortung, mit der Übernahme von Aufgaben und Pflichten – aber auch mit dem Spaß!

Vatersein ist eine enorme **BEREICHERUNG DES LEBENS**. Einen kleinen Menschen beim Aufwachsen aktiv begleiten und unterstützen zu können, ihm das Leben und die Welt vermitteln und dabei immer wieder auch »das Kind im Manne« in sich selbst entdecken zu können: Das werden Sie bald nicht mehr missen wollen.

Auch dann, wenn es manchmal ganz schön anstrengend sein wird.

Kurz gesagt: Väter haben mehr vom Leben.

4 Die erste Zeit zu dritt – ein schöner Kraftakt!

→ Auch wenn die Geburt ein ganz besonderes Erlebnis war, ist sie doch gemessen an dem, was sie an Veränderung in Ihr Leben gebracht hat, ein sehr kurzes Intermezzo gewesen. In diesem Kapitel geben wir Ihnen praktische Tipps, wie Sie trotz aller Umstellungen im Alltag die erste Zeit mit Ihrem Kind am besten genießen können.

Vom Mann zum Vater

Geschafft! Sie drei haben ein schwieriges, anstrengendes und – bei aller medizinischen Sicherheit – gesundheitlich riskantes Ereignis hinter sich. Ist die Geburt überstanden, geht es neben der körperlichen Erholung auch um die seelische Gesundheit, das **ZUSAMMENWACHSEN ALS FAMILIE.**

An dieser Stelle sind auch Sie wieder gefragt: Wie geht es Ihnen als frisch gebackener Vater, was verändert sich für Sie, worauf freuen Sie sich – und wobei wird Ihnen mulmig?

Dass ein Kind das Leben seiner Eltern **RADIKAL AUF DEN KOPF STELLT,** haben Sie vielleicht schon gehört. Doch was verändert sich wirklich? Viele junge Eltern sagen, dass alles ganz anders ist, als sie es sich vorgestellt haben. Wir wollen Sie deshalb einladen, sich auf Veränderungen einzustellen, die in Ihrem Leben als Vater so oder so ähnlich eintreten können.

» Ein Kind bewegt
das Oberste zuunterst –
und rückt gleichzeitig alle Dinge
an ihren richtigen Platz. «

[Alain Delon | *französischer Filmschauspieler*]

Ein neuer Lebensabschnitt: Glück und Chancen

Spätestens mit der Geburt Ihres Kindes beginnt ein neuer Lebensabschnitt für Sie. Sie halten einen Mensch in den Armen, mit dem Sie Ihr Leben lang verbunden sein werden. Das bedeutet auf der einen Seite einen immensen Zugewinn an Verantwortung und auf der anderen Seite sehr **VIEL SPASS**, Freude, Verlässlichkeit und Liebe.

» Mit meinen Kindern finde ich mich
oft in Situationen wieder,
in denen ich sie ansehe und sprachlos bin –
durch das Glück, ihr Vater sein zu dürfen.
Die aufrichtige Liebe, die sie mir entgegenbringen,
ist für mich durch nichts in der Welt zu ersetzen! «

[Walter, 36 | *2 Kinder*]

Es ist eine große Erfüllung, Vater zu sein, wirklich gebraucht zu werden, eine der wichtigsten Personen für Ihr Kind zu sein und Ihre Ideale und Wertvorstellungen weitergeben zu können. Die Belastungen und Entbehrungen, die Ihr neuer Lebensabschnitt mit sich bringt, werden **AUFGEWOGEN DURCH DAS GLÜCK**, die Entwicklung eines Menschen begleiten und unterstützen zu dürfen – und gerade im ersten Lebensjahr entwickelt sich Ihr Kind in rasanten Schritten (→ Seite 116/117). Dennoch werden sich nach der Geburt Gefühle der Unsicherheit und Überforderung ins Glück mischen. Damit gehört die erste Zeit mit Kind oft zu den anstrengendsten im ganzen Leben.

Eine Extraportion Verantwortung

Mit der Geburt Ihres Kindes tragen Sie Verantwortung für einen Menschen, der noch ganz und gar auf Ihre Hilfe und Fürsorge angewiesen ist. Hierin liegt für sehr viele die größte Veränderung – in der Übernahme der vollen Verantwortung für einen anderen Menschen.

In der Konsequenz heißt das, nicht mehr allein für sich Sorge tragen zu müssen und bedingt auch für die Partnerin, sondern einem Menschen zu helfen, seinen Weg ins Leben zu finden und ihn auf diesem Weg ein langes Stück sehr dicht zu begleiten.

Diese Begleitung ist **EINE WUNDERBARE AUFGABE**. Sie ist aber auch sehr zeitaufwändig, mitunter recht anstrengend und verlangt einige Abstriche in anderen Lebensbereichen.

In den ersten Monaten werden Sie

- durchwachte Nächte erleben;
- Ihr von Bauchschmerzen gequältes Kind nachts auf dem Arm durch die Wohnung tragen;
- Ringe um die Augen haben;
- befürchten, Ihr Kind zu grob anzufassen;
- Angst haben, dass es nachts plötzlich aufhört zu atmen;
- sich mehrmals täglich umziehen, weil Ihr Kind Sie mit Erbrochenem »geschmückt« hat, und zwar gerade dann, wenn Sie zu einem wichtigen Termin müssen und eh schon spät dran sind;
- vergessen, wann Sie das letzte Mal mit Ihrer Partnerin Sex hatten;
- sich nicht mehr erinnern, wann Sie zuletzt im Kino waren oder sich mit Ihren Freunden getroffen haben.

»Die **Kunst** der Elternschaft besteht darin, zu **schlafen**, wenn das Baby nicht **hinsieht**.«

[Unbekannter Autor]

4

Die Liste der Entbehrungen, denen werdende Väter und Mütter entgegensehen, ließe sich sicher noch erweitern – und Sie werden Ihre ganz persönlichen Erfahrungen machen. Vielleicht sieht Ihre Liste auch ganz anders aus.

Uns ist es nur wichtig, Sie darauf vorzubereiten, dass eine mehr oder weniger ausgeprägte Durststrecke vor Ihnen liegt. Denn sonst tut es vielleicht niemand. Im gängigen Geburtsvorbereitungskurs, beim Arzt oder im Freundeskreis wird darüber kaum gesprochen. Die meisten Paare sehen deshalb vor der Geburt die erste Zeit mit Kind **DURCH EINE ROSAROTE BRILLE**. Wir möchten aber, dass Sie wissen, dass Sie zunächst ganz überwiegend Vater sein werden. Und dass Ihre Bedürfnisse als Partner und Person eine ganze Zeit lang zu kurz kommen können.

Auch so vorbereitet ist es nicht immer leicht, damit fertig zu werden, aber trösten Sie sich: **ES GEHT VORBEI**. Das meiste hat sich nach dem ersten Jahr eingespielt. Vielleicht wird es mit den Monaten nicht immer einfacher, aber **AUF JEDEN FALL SCHÖNER**, und Sie gewinnen an Sicherheit!

Vom Liebespaar zum Elternpaar

Die Paarbeziehung leidet unter diesen zeitlichen Einschnitten häufig ganz besonders. Wenn Paare Eltern werden, steht ihre Beziehung – die Basis der Familie – für eine Weile in der Bedürfniskette hinten an.

In den ersten Jahren mit Kind werden Sie und Ihre Partnerin mit großer Wahrscheinlichkeit

- deutlich weniger Zeit füreinander haben;
- wenn Sie Zeit füreinander haben, häufig sehr erschöpft sein;
- fast nur noch über Ihr Kind reden;
- deutlich weniger Sex miteinander haben;
- lernen müssen, mit veränderten sexuellen Bedürfnissen umzugehen;
- in Ihrer seltenen Zweisamkeit häufig gestört werden.

Damit Sie auch als Eltern Ihre **PARTNERSCHAFT** nicht aus dem Blick verlieren, haben wir ab Seite 140 Tipps für Sie zusammengestellt. Denn Kinder wünschen sich nicht nur die Liebe ihrer Eltern, sondern auch, dass diese als Paar glücklich sind und zusammenbleiben.

» Bei der Geburt jedes Kindes wird einem erneut bewusst, dass ab jetzt nichts mehr so sein wird wie zuvor. «

[Sir Peter Ustinov | *britischer Schauspieler (1921–2004)*]

4

Veränderung der Generationenfolge

Aus Söhnen werden Väter und aus Töchtern Mütter; aus Vätern werden Großväter und aus Müttern Großmütter. Was verändert sich alles, wenn Sie selbst nicht mehr »nur« Kind sind?

ENTDECKUNG DER EIGENEN ENDLICHKEIT

Sie rücken in der Generationenfolge einen Platz auf. Sie werden älter, reifer, verantwortlicher und machen sich wahrscheinlich ernsthafte Gedanken darüber, wie Sie Ihre **FAMILIE ABSICHERN** können, falls Ihnen etwas zustößt. Mit dem neu entstandenen Leben rückt für Sie selbst und auch für Ihre Eltern das Ende des eigenen Lebens spürbar näher – Sie gehören nicht mehr zu den Jüngsten.

BEZIEHUNG ZU DEN EIGENEN ELTERN

Wenn Sie Vater werden, ist das eine gute Gelegenheit, über Ihre Eltern nachzudenken. Waren Sie als Kind oder Jugendlicher manchmal genervt von den Sorgen, die sich Ihre Eltern gemacht haben, wenn Sie einmal zu spät nach Hause gekommen sind? Viele Kinder, die Eltern werden, können ihre eigenen Eltern nun viel besser verstehen – selbst wenn der erste Diskobesuch ihres Sohns oder ihrer Tochter noch ein bisschen auf sich warten lassen wird. Sich Sorgen zu machen gehört zum Elternsein dazu, auch wenn die Kinder es oft lästig finden. Wenn es Ihnen ähnlich geht – Ihre Eltern freuen sich sicher, zu hören, dass Sie sie heute verstehen können.

»Alle Kinder **lächeln** über die **Ansichten** ihrer Eltern. Bis sie **selbst** Eltern geworden sind.«

[Liselotte Pulver | *Schweizer Schauspielerin*]

Freundschaften gehen und entstehen

Viele Eltern erleben, dass sich ihr FREUNDESKREIS mit der Geburt des ersten Kindes VERÄNDERT. Sie sind jetzt zeitlich weniger flexibel, brauchen für den Kneipen- oder Kinobesuch jemanden, der auf die Kinder aufpasst, und so fort. Ihre Interessen haben sich wahrscheinlich schon seit der Schwangerschaft verändert, und oft findet man mit kinderlosen Freunden kaum noch Gemeinsamkeiten.

Auf der anderen Seite knüpfen viele junge Eltern über die Kinder neue Kontakte. So entstehen in Geburtsvorbereitungskursen und Eltern-Kind-Gruppen oder auch ganz einfach in der Nachbarschaft oder auf dem Spielplatz NEUE FREUNDSCHAFTEN zu Gleichgesinnten. Viele Alltagsprobleme werden entschärft, wenn Sie plötzlich erkennen, dass Ihre Situation kein Einzelfall ist, sondern es anderen ähnlich ergeht. Wie Sie sich auch als Vater aktiv am Aufbau dieser wichtigen neuen Kontakte beteiligen können, erfahren Sie ab Seite 134.

Veränderte Rollenverhältnisse

Bei den meisten kinderlosen Paaren sind Mann und Frau berufstätig und kümmern sich gemeinsam um den Haushalt.

Doch spätestens mit der Geburt des ersten Kindes kippt dieses ausgewogene Verhältnis und es greifen **TRADITIONELLE ROLLENMUSTER**, die dem Vater die materielle Versorgung der Familie und der Mutter die Hausarbeit und die Versorgung der Kinder zuweisen.

Männer wie Frauen scheinen dazu zu tendieren, die Rollenverteilungen zu übernehmen, die sie bereits von ihren Eltern gewohnt sind – sehr häufig ohne darüber nachzudenken, welche anderen Möglichkeiten es gibt, gemeinsam die Familien- und die Erwerbsarbeit zu sichern. In sehr vielen Fällen sind es aber auch die Rahmenbedingungen, die es Vätern wie Müttern schwer machen, ihre Aufgaben so zu verteilen, wie sie es sich wünschen. In Kapitel 7 (→ ab Seite 159) helfen wir Ihnen, Ihre ganz **PERSÖNLICHE BALANCE** zwischen Familie, Beruf und Freizeit zu finden.

Erfahrungsbericht

Frank, 35, 2 Kinder:

Nach der Geburt meiner Tochter hätte ich mir die Erwerbs- und Familienarbeit sehr gerne mit meiner Frau geteilt – ich hatte mir das immer so gewünscht! Leider waren wir zum Zeitpunkt der Geburt beide im Übergang vom Studium in den Beruf. Ich hatte bereits einen Job, sie nicht. So war es für uns finanziell gar nicht drin, meine volle Stelle zu reduzieren – auch die damals 300 Euro Erziehungsgeld nützten uns da relativ wenig.

Mit Ihrem Kind zu Hause – Väter und das Wochenbett

Das Wochenbett dient Mutter und Kind nicht nur zur Erholung und ersten körperlichen Rückbildung der Gebärmutter sowie sonstiger Begleiterscheinungen der Schwangerschaft. Es ist auch eine PHASE DER NEUORIENTIERUNG.

Wochen-»Bett« heißt nicht, dass diese Zeit nur im Bett verbracht werden darf. Über das frühe Wochenbett – die ersten 10 bis 14 Tage nach der Geburt – hinaus, kann diese Neuorientierung einige Monate dauern. Ihr Kind hat rund 40 Wochen gebraucht, um bis zur Geburt heranzureifen. Einen etwa gleich langen Zeitraum müssen Sie einplanen, bis sich ein neuer ALLTAG ALS FAMILIE eingestellt hat. Nutzen Sie diese Zeit, um Ihr Kind kennen zu lernen.

Das frühe Wochenbett

Mutter und Kind sind von Anfang an sehr eng verbunden. Ihr Kind ist in Ihrer Partnerin gewachsen, sie hat es geboren und kann es mit ihrer Milch ernähren. Gerade wenn Ihre Partnerin und Ihr Kind nach der Geburt für mehrere Tage im Krankenhaus geblieben sind und Sie nicht bei ihnen sein konnten, zum Beispiel in einem Familienzimmer, sind die ersten Tage mit Ihrem Kind zu Hause umso wichtiger für Sie. Sie können nun einiges nachholen! Es wird höchste Zeit, dass Sie die ZWEIER- ZU EINER DREIERBEZIEHUNG erweitern.

Nehmen Sie sich deshalb von Anfang an so viel Zeit wie möglich mit Ihrem Kind und Ihrer Partnerin, auch wenn das angesichts der vielen Aufgaben, die in der ersten Zeit nach der Geburt auf Sie zukommen, oft nicht einfach sein wird. Schaffen Sie sich immer wieder Zeitnischen, und legen Sie sich etwa zu dritt ins Bett. Oder gehen Sie mit Ihrem Kind im Kinderwagen spazieren. Wickeln Sie es, baden Sie es. Tragen Sie es auf Ihrem Arm durch die Wohnung. Genießen Sie so oft wie möglich KÖRPERKONTAKT mit Ihrem Kind. Legen Sie es sich zum Beispiel auf Ihren nackten Oberkörper. Sie brauchen nicht zu befürchten, dass Sie Ihre Partnerin und Ihr Kind auseinander drängen. Sie sind nun eine Familie, und als Vater sind Sie ein ganz WICHTIGES FAMILIENMITGLIED.

Beginnen Sie so früh wie möglich mit dem Aufbau eines intensiven Kontakts zu Ihrem Kind. Eine zu schwache Bindung zwischen Vater, Mutter und Kind verursacht häufig Neid und Eifersucht bei Vätern, und viele fühlen sich ausgeschlossen. Das ist unnötig.

Bleiben Sie außen vor, fällt es ihnen schwer, sich als Vater zu fühlen. Mancher Vater sieht sich dann eher als Partner einer Frau mit Kind, für das er sich verantwortlich fühlt, zu dem er aber (noch) keine intensive Beziehung aufbauen konnte. Fragen Sie sich deshalb auch im Laufe der nächsten Jahre immer wieder kritisch, welchen Platz Ihre Partnerin und Ihr Kind innerhalb der Familie einnehmen und wo Sie selbst stehen.

Vorbereitungen und Aufgaben für das frühe Wochenbett

Nach einer ambulanten Geburt in Klinik oder Geburtshaus oder nach einer Hausgeburt sind Sie als Vater und Partner besonders gefordert. In der ersten Zeit nach der Geburt ist Ihre Partnerin noch geschwächt. Sie braucht Ihre Zuwendung und Pflege. Ihre Aufgaben als »Wochenbettmanager« sehen dann ungefähr so aus:

- Legen Sie einen Matratzenschutz auf, der Blutungen auffängt.
- Wechseln und waschen Sie möglichst oft die Bettwäsche.
- Begleiten Sie Ihre Partnerin bei den ersten Toilettengängen.

- Tragen Sie dazu bei, dass sie ansonsten im Bett bleiben und sich ausruhen kann.
- Gehen Sie ab und zu mit Ihrem Kind spazieren. So können Sie es besser kennen lernen, und Ihre Partnerin hat etwas Ruhe.

Wochenbettbetreuung durch eine Hebamme

Nutzen Sie Hebammenhilfe! In den ersten Tagen und Wochen nach der Geburt hat Ihre Partnerin Anspruch auf GEBURTSNACHSORGE durch eine Hebamme. Die Kosten dafür übernehmen die Krankenversicherungen. Normal ist eine Betreuung bis zu acht Wochen nach der Geburt – bei Bedarf auch länger (etwa bei Stillproblemen bis zum Ende der Stillzeit, egal, wie lange sie dauert).

Die Hebamme kommt zu Ihnen nach Hause. Sie kümmert sich um die Geburtsfolgen und die Rückbildung der Gebärmutter Ihrer Partnerin. Sie sieht auch immer wieder nach dem Baby. Bei Fragen zum Stillen steht sie mit Rat und Tat zur Seite. Sie kann Sie auch im Baden, Wickeln und Tragen anleiten und gibt Ihnen viele weitere TIPPS UND HILFEN. Eine gute Hebamme hat meist durch ihre langjährige Erfahrung auch noch ein offenes Ohr für persönliche Fragen oder Unsicherheiten, die in den ersten Tagen zu Hause mit Baby auftauchen können.

Sehr hilfreich ist, wenn Sie die Hebamme, die zur Wochenbettbetreuung zu Ihnen nach Hause kommt, bereits kennen, etwa aus dem Geburtsvorbereitungskurs. Falls diese nicht kann, bemühen Sie sich rechtzeitig, am besten schon in der Mitte der Schwangerschaft, um eine Hebamme, die die Wochenbettbetreuung übernimmt. Vereinbaren Sie mit ihr einen Termin, um sich bereits vorher kennen zu lernen. Achten Sie neben der fachlichen Qualifikation rund ums Wochenbett auch darauf, ob Sie als Vater sich bei ihr aufgehoben fühlen, denn:

Eine gute Hebamme sollte immer auch den Vater und die psychische Entwicklung der Familie im Blick haben.

Stressfrei ins Wochenbett

- Kümmern Sie sich bereits vor der Geburt gemeinsam mit Ihrer Partnerin um eine Hebamme für die Wochenbettbetreuung.
- Nehmen Sie sich so viel Urlaub wie möglich, zwei bis vier Wochen sind ideal.
- Versuchen Sie, eine flexible Urlaubsregelung zu erreichen, damit Ihr Urlaub mit der Geburt beginnt.
- Wenn Sie keinen oder nur wenig Urlaub bekommen, sorgen Sie für Hilfe durch Freunde oder Verwandte, und versuchen Sie, besonders pünktlich nach Hause zu kommen.
- Oder Sie kümmern sich in diesem Fall bereits vor der Geburt um eine Haushaltshilfe. Fragen Sie bei der Krankenkasse Ihrer Partnerin rechtzeitig nach, ob sie sich an den Kosten beteiligt.
- Fragen Sie bei Beratungsstellen, Sozialstationen, Krankenkassen oder Bürgerbüros nach Adressen von Haushaltshilfen.
- Der Haushalt wird Sie in den ersten Wochen sehr fordern. Aufgaben, die auf Sie zukommen, sind: Wäsche waschen; warmes Essen kochen; Frühstück machen; Zwischenimbisse zubereiten; oft (Still-)Tee kochen; Einkaufen (nicht blähendes Gemüse, Windeln, Getränke ...).
- Üben Sie sich in diesen Aufgaben bereits in der Schwangerschaft. Wenn sie Ihnen über den Kopf wachsen, sorgen Sie dafür, dass Sie auch in diesem Fall jemand unterstützt (Haushaltshilfe/Verwandte).
- Die Geburt war für Ihre Partnerin anstrengende Arbeit! Auch das Stillen beansprucht sie körperlich sehr stark. Sie sollte sich daher sechs bis acht Wochen erholen können, bevor sie wieder voll in den Haushalt einsteigt.
- In dieser Zeit sollte Ihre Partnerin nichts tragen, was schwerer als fünf Kilo ist – was gerade bei älteren Geschwisterkindern nicht immer leicht durchzuhalten ist.
- Entscheiden Sie, welchen Besuch Sie jetzt bekommen möchten und welchen lieber erst später! Sie haben ein Recht auf Ruhe und Dreisamkeit.

Das müssen Sie nach der Geburt erledigen

Leider ist das Vatersein in den ersten Tagen nicht damit getan, gut für Mutter, Kind und sich selbst zu sorgen. In den ersten Wochen wartet noch eine Reihe weiterer AUFGABEN auf Sie, die Sie teilweise sogar schon vor der Geburt angehen sollten.

1 DIE VORSORGEUNTERSUCHUNG »U2« ORGANISIEREN
Diese Untersuchung ist sehr wichtig. Ihr Kind wird von Kopf bis Fuß untersucht. Bei einer Klinikgeburt (stationär) wird die U2 dort vorgenommen. Nach einer ambulanten Geburt oder Hausgeburt müssen Sie sich am dritten bis elften Lebenstag selbst darum kümmern. Fragen Sie den Kinderarzt, ob er zur U2 zu Ihnen kommen kann.

2 IHR KIND BEIM STANDESAMT ANMELDEN
Nach einer Klinikgeburt wird die Anmeldung meist von dort aus erledigt. Nach einer außerklinischen Geburt müssen Sie selbst innerhalb einer Woche zum Meldeamt gehen. Wird Ihr Kind nicht an Ihrem Wohnort geboren, müssen Sie es ummelden.

3 IHR KIND BEI DER KRANKENVERSICHERUNG ANMELDEN
Erfragen Sie bei Ihrer Krankenversicherung möglichst bald, bis wann Sie Ihr Kind anmelden müssen.

4 DAS SORGERECHT KLÄREN
Wenn Sie und Ihre Partnerin nicht verheiratet sind, bekommen Sie nicht automatisch das gemeinsame Sorgerecht. Sie müssen erst die gemeinsame Sorge erklären. Erledigen Sie diese wichtige Formalität möglichst noch vor der Geburt, entweder bei einem Notar (kostenpflichtig) oder beim Jugendamt (kostenlos).

5 **MUTTERSCHAFTSGELD BEANTRAGEN**

Ist Ihre Partnerin selbst versichert oder in einem festen Arbeitsverhältnis, hat sie in der Mutterschutzfrist (sechs Wochen vor und acht Wochen nach der Geburt) Anspruch auf Mutterschaftsgeld. Falls sie das Geld nicht schon vor der Geburt bei ihrer Krankenkasse beantragt hat, wird es jetzt Zeit.

6 **KINDERGELD BEANTRAGEN**

Kindergeld sollten Sie bis zum sechsten Lebensmonat Ihres Kindes beantragen. Zuständig sind die Kindergeldkassen der Agentur für Arbeit oder im öffentlichen Dienst die Arbeitgeber.

7 **ELTERNGELD BEANTRAGEN**

Dafür wenden Sie sich an Ihre zuständige Elterngeldstelle (Informationen, Anträge unter „Kind, Geld, Karriere“ → Seite 173). Besorgen Sie sich den Antrag möglichst schon vor der Geburt, das erspart Stress.

Adressen, um genauere Auskünfte (auch für die Schweiz und Österreich) zu erhalten, finden Sie ebenfalls im Anhang (ab → Seite 173).

Holen Sie sich Hilfe!

Sie haben eine Fülle von Aufgaben zu bewältigen. Das kann ganz schön belasten. Sie haben aber auch das Recht, die angenehmen Seiten des Vaterseins zu genießen. Deshalb: Kümmern Sie sich darum, dass andere Sie entlasten. Beziehen Sie Ihre **FREUNDE UND VERWANDTEN** in Ihr Hilfsprogramm ein. Sie werden erstaunt sein, wie hilfsbereit Ihr Umfeld ist. Oder holen Sie sich **PROFESSIONELLE HILFE.**

Was uns als eine schwere **Prüfung** erscheint,
erweist sich oft als **Segen.**

[Oscar Wilde | *englischer Schriftsteller (1854–1900)*]

CHECKLISTE

Entlastungsmöglichkeiten nach der Geburt

- Bitten Sie Freunde, die zu Besuch kommen, eine Mahlzeit mitzubringen oder beim Kochen und Aufräumen zu helfen.
- Lassen Sie sich statt Babykleidung Gutscheine, etwa für die Übernahme von Hausarbeit oder fürs Babysitten, schenken.
- Sprechen Sie alle wichtigen Mitteilungen über die Geburt und Ihr Baby (Größe, Gewicht...) auf den Anrufbeantworter.
- Ihre Partnerin pumpt Milch ab und Sie füttern Ihr Kind. So haben Sie exklusive Papastunden und Ihre Partnerin Zeit für sich.
- Machen Sie Ihre Eltern, Schwiegereltern und Freunde mit Ihrem Baby vertraut. Bitten Sie sie, es hin und wieder zu beaufsichtigen.
- Sprechen Sie regelmäßig Ihre Zeitverteilung miteinander ab. Halten Sie abgesprochene Zeiten ein. Rufen Sie an, wenn sich etwas ändert. So vermeiden Sie Stress, Unzufriedenheit und Streit.
- Hängen Sie gemeinsame Arbeitspläne in der Wohnung auf, die regeln, wer wann was erledigt. So behalten Sie den Überblick.
- Informieren Sie sich über Tageseltern, Babysitter und Au-pair-Mädchen/Jungen, die Sie entlasten können.
- Engagieren Sie eine Putz- und/oder Haushaltshilfe.
- Sprechen Sie sich mit Freunden und Freundinnen mit Kind ab, ob das Aufpassen auf zwei Kinder im Wechsel möglich ist.
- Treffen Sie sich mit anderen Vätern und deren Kindern, und geben Sie Ihrer Partnerin einen Nachmittag frei.
- Kaufen Sie für die ersten Tage mit Kind auf Vorrat ein (Tiefkühlkost, haltbares Obst und Gemüse), oder gönnen Sie sich hin und wieder den Luxus eines Lebensmittel-Bringservice. Meiden Sie dabei »Fast Food« und zu viele Fertigprodukte.

Vater und Baby – ein starkes Team

Ihr Kind ist zu Hause und Sie haben endlich Zeit, sich zu beschnuppern, aneinander zu gewöhnen und den Vorsprung, den Ihre Partnerin im Kontakt zu Ihrem Kind hat, ein wenig aufzuholen. Daraus soll aber bitte kein Wettbewerb mit Ihrer Partnerin werden. Im Kontakt zum Kind geht es nicht um besser oder schlechter.

Teamwork mit Ihrer Partnerin

Um aktiv Vater sein zu können, brauchen Sie Zeit und Gelegenheit, sich um Ihr Kind zu kümmern und Ihre neuen Aufgaben anzunehmen. Dabei ist es sehr hilfreich, wenn Sie von Ihrer Partnerin **UNTERSTÜTZUNG** erhalten. Das heißt nicht, dass sie Ihnen haarklein erklärt, welchen Handgriff Sie wie zu machen haben, oder dass Sie sich bemühen sollen, die bessere Mutter zu sein. Vielmehr geht es darum, dass nicht nur Sie Ihre **NEUEN AUFGABEN** annehmen und ausfüllen müssen, sondern dass auch Ihre Partnerin lernt, sich nicht allein für Ihr gemeinsames Kind verantwortlich zu fühlen, und Ihnen zugesteht, Ihren eigenen Weg im Umgang mit Ihrem Kind zu entwickeln. Sie können vereinbaren, dass Sie Ihre Partnerin fragen, wenn Sie Hilfe und Tipps haben möchten, und dass sie Ihnen **NICHT UNAUFGEFORDERT RATSCHLÄGE GIBT**.

Viele Mütter fühlen sich sehr eng mit ihrem Kind verbunden. Manchen fällt es schwer, ihr Baby loszulassen und einzusehen, dass Sie als Vater auch gut für Ihr Kind sorgen und dabei einen ganz eigenen Stil entwickeln können. Wenn am Anfang die Windel noch nicht so perfekt sitzt, macht das gar nichts!

Wenn Ihre Partnerin sich nicht traut, Sie und Ihr Kind einmal ein paar Stunden allein zu lassen, erinnern Sie sie daran, was sie selbst davon hat, eine Weile ohne Kind zu sein. Vielleicht tut es Ihnen beiden aber auch gut, wenn sie zunächst einmal in der Nähe bleibt, jedoch nur dann selbst aktiv wird, wenn Sie sie darum bitten. So können Sie sich beide langsam an das Annehmen von Aufgaben und das Loslassen von Verantwortung gewöhnen.

Wickeln, Baden, Spielen, Schmusen

Wenn Sie schon vor der Geburt Ihres Kindes lernen wollen, ein Baby zu wickeln, zu baden, hochzuheben, zu tragen und anzuziehen, besuchen Sie einen **SÄUGLINGSPFLEGEKURS**. Wenn nicht, üben Sie mit Ihrer Partnerin oder fragen Sie die Nachsorge-Hebamme.

Sie können auch direkt nach der Geburt die Hebamme bitten, Ihnen zu zeigen, wie Sie Ihr Kind baden, wickeln und anziehen. Sie werden dann bald Ihre ganz **EIGENE TECHNIK ENTWICKELN**.

Zum Beispiel beim Anziehen, sodass Ihr Kind nicht mehr schreien muss, etwa weil es ihm Spaß macht, von Ihnen gekitzelt zu werden, oder weil Sie ihm seine Strumpfhose als Mütze auf den Kopf ziehen. Es ist schön und stärkt Ihr **SELBSTBEWUSSTSEIN ALS VATER**, wenn Sie bald merken: Ich kann das auch!

» Seit ich herausgefunden habe, wie ich unserer Tochter ohne Geschrei die Haare waschen kann, ist Baden bei uns Papa-Sache. «

[Walter, 36 | *2 Kinder*]

Manche Dinge gehen aber zu zweit einfach besser – etwa Baden. Da zu viel Wasser und Seife der empfindlichen Babyhaut schaden, reicht es voll und ganz, Ihr Kind einmal in der Woche zu baden – dann aber darf es ruhig ein kleines Fest werden.

Ein Badefest für die ganze Familie

Nehmen Sie sich viel Zeit. Heizen Sie das Badezimmer richtig auf, 26 bis 28 °C Lufttemperatur sind genau richtig. Lassen Sie etwa 37 °C warmes Wasser in die Badewanne einlaufen, und legen Sie sich mit Ihrem Kind hinein. Als Badezusatz reichen ein paar Tropfen Mandel- oder Olivenöl. Halten Sie Ihr Kind gut fest. Sie können es zum Beispiel auf Ihre ausgestreckten Beine legen. Genießen Sie den KÖRPERKONTAKT und das warme Wasser, und beginnen Sie nun langsam, Ihr Kind mit einem Waschlappen zu waschen. Feiern Sie dieses Badefest abends, dann schläft Ihr Kind besonders gut.

Wickeln wie ein Weltmeister

Kinder sind das Einzige, was in einem modernen Haushalt noch mit der Hand gereinigt werden muss – Wickeln gehört dazu! Legen Sie sich alle Utensilien zurecht, bevor Sie beginnen, damit Sie gar nicht versucht sind, Ihr Baby auch nur eine Sekunde allein liegen zu lassen. Auch wenn es sich bisher NOCH NICHT DREHEN KONNTE – PLÖTZLICH GELINGT ES IHM. Selbst wenn Sie sich nur kurz zum Waschbecken umdrehen, kann es in dem Augenblick vom Wickeltisch fallen! Lassen Sie auch keine kleinen (Cremetubendeckel) oder spitzen Gegenstände (Nagelschere) auf dem Wickeltisch und in Reichweite Ihres Kindes liegen. ES KANN SICH VERSCHLUCKEN ODER VERLETZEN.

Sie brauchen: eine saubere Windel, einen feuchten, gut ausgedrückten Waschlappen oder Öltücher, Babycreme und Ersatzkleidung, falls die Windel nicht alles gehalten hat.

- Knöpfen Sie Strampler und Body auf und schieben Sie beides hoch. Wenn Sie die Windel freigelegt haben, öffnen Sie sie und halten Sie dann mit einer Hand die Füße Ihres Kindes fest, damit es nicht in die Windel tritt.
- Heben Sie den Po Ihres Babys 1 und entfernen Sie die Windel. Wichtig: EINE HAND BLEIBT IMMER AM KIND!

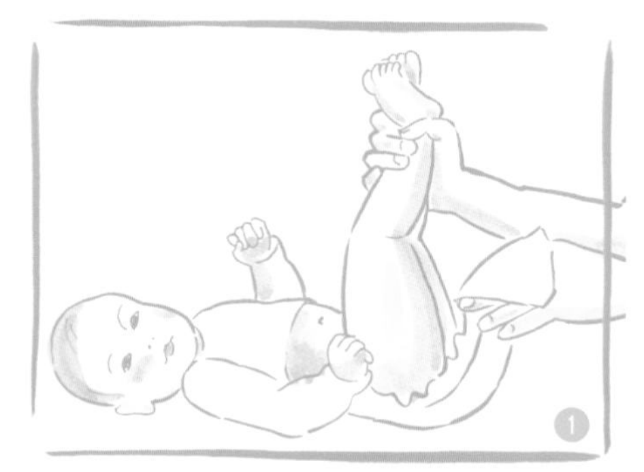

- Reinigen Sie nun Genitalbereich und Po – immer nur von vorn nach hinten. So vermeiden Sie, dass Stuhl und damit Darmbakterien in den Genitalbereich gelangen. Vergessen Sie nicht, die Speckfalten in den Leisten und bei Mädchen die Schamlippen leicht auseinander zu ziehen und zu reinigen.
- Lassen Sie die Haut gut abtrocknen und Ihr Kind ein paar Minuten ohne Windel liegen. Das hilft Wundsein und Entzündungen vorzubeugen und macht Ihrem Kind viel Spaß. Windelcreme benötigen Sie nur, wenn die Haut Ihres Kindes gerötet ist.

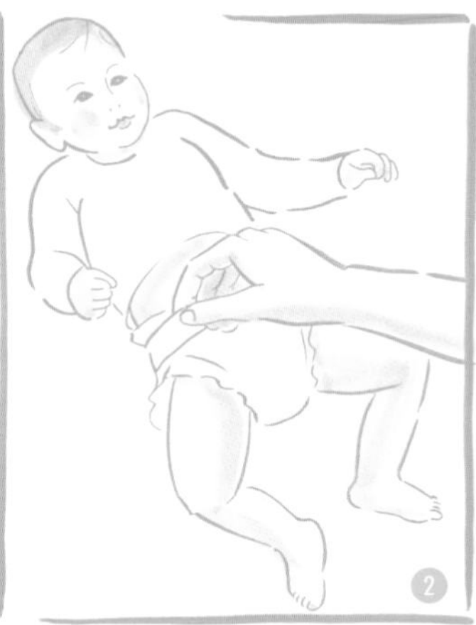

- Besonders geeignet sind Cremes auf Basis pflanzlicher Öle, die es in Drogeriemärkten gibt.
- Heben Sie dann wieder den Po Ihres Babys, legen Sie eine neue Windel unter und befestigen Sie diese mit den dafür vorgesehenen Klebestreifen 2.
- Knöpfen Sie Body und Strampler wieder zu – fertig!

Die Stillzeit

Fast alle Mütter können stillen und haben genug Milch, um ihr Kind im ersten Lebensjahr damit zu ernähren. Sie brauchen nur die richtigen INFORMATIONEN UND UNTERSTÜTZUNG.

Stillen ist die einzige Aufgabe, die Sie, der Vater, nach der Geburt Ihres Kindes tatsächlich nicht übernehmen können. Aber es gibt viele wichtige Dinge, die Sie tun können, um Ihrer Partnerin und Ihrem Kind das Stillen zu ermöglichen und zu erleichtern.

Nur das Beste für Ihr Kind!

Alle Eltern wollen ihrem Kind das Beste geben. Vertrauen Sie auf die Natur, denn MUTTERMILCH IST GESUND! Gestillte Kinder bekommen seltener Allergien als Babys, die mit Flaschennahrung ernährt wurden. Sie haben stärkere Abwehrkräfte, werden weniger häufig krank und erleiden seltener den plötzlichen Kindstod.

Die Nachfrage Ihres Kindes REGELT DAS ANGEBOT an Muttermilch: Wenn ein Baby viel saugt, wird viel Milch gebildet – saugt es wenig, wird die Milchmenge reduziert. Wenn Mutter und Kind genug Ruhe und Zeit zum Stillen haben, reguliert sich dieses System wie von selbst.

Ein Zufüttern mit anderen Flüssigkeiten ist meist unnötig und kann das Ganze leicht aus dem Gleichgewicht bringen: Denn wenn das Baby andere Nahrung erhält, saugt es weniger an der Brust. In der Folge wird weniger Milch produziert, und die Mutter bekommt das Gefühl, ihr Kind nicht ausreichend ernähren zu können, was wiederum die Milchproduktion und den Milchfluss behindern kann. Muttermilch hat immer genau die Zusammensetzung, die Ihr Kind braucht. Das Angebot an Nähr- und Abwehrstoffen, die Ihre Partnerin über ihre Milch an Ihr Kind weitergibt, verändert sich mit dem Alter des Kindes und passt sich so seinen Bedürfnissen optimal an. Zudem hat die Milch immer die richtige Temperatur, sie ist frisch und keimfrei. So steht Ihrem Kind seine ideale und GANZ INDIVIDUELLE NAHRUNG zur Verfügung. Außerdem ist die Muttermilch auch noch weich und warm verpackt.

Stillende Mütter

Für viele Mütter ist das Stillen eine wunderbare Erfahrung. Es bringt Mutter und Kind in eine sehr ENGE VERBINDUNG, und viele Frauen sind stolz darauf, ihr Kind vollständig ernähren zu können.

Aber die Stillzeit ist auch eine Phase gewaltiger Umstellungen. Es ist für den Körper anstrengend, Milch zu produzieren. Und gerade zu Anfang kann es manchmal beschwerlich und auch schmerzhaft sein, bis sich die Brustwarzen an die Beanspruchung gewöhnt haben. Hinzu kommt, dass Babys in den ersten Monaten auch nachts gestillt werden müssen, so dass der NACHTSCHLAF regelmäßig UNTERBROCHEN wird und viele Mütter sich tagsüber unausgeschlafen und müde fühlen.

Und egal, ob Ihre Partnerin stillt oder Sie beide Ihr Kind mit der Flasche füttern: Es kann leicht bis zu 45 Minuten dauern, bis Ihr Kind getrunken hat. Bei fünf bis sieben Mahlzeiten pro Tag kommen da einige Stunden zusammen, so dass kaum mehr Zeit für anderes bleibt. Einige Mütter fühlen sich durch das Stillen sehr stark an ihr Kind gebunden. Sie glauben, nichts mehr ohne ihr Baby unternehmen zu können. HIER SIND SIE ALS ENGAGIERTER VATER GEFRAGT. Sie oder auch ein Babysitter können Ihrem Kind abgepumpte Muttermilch aus einer Flasche geben und so eine Stillmahlzeit überbrücken.

Hilfe bei Stillproblemen, bei Fragen zum Stillen und zum Abpumpen von Muttermilch erhalten Ihre Partnerin und Sie von Hebammen, Still- und Laktationsberaterinnen. Die Kosten hierfür übernimmt bis zum Ende der Stillzeit in der Regel die Krankenversicherung. Die Stillzeit endet im Übrigen erst dann, wenn eine Mutter nicht mehr stillt – das kann nach sechs Monaten oder auch nach über einem Jahr sein.

Die Auswirkungen von **SCHLAFENTZUG** und des Hormons Prolaktin, das beim Stillen gebildet wird, beschreiben viele Mütter so, dass sie sich oft nicht richtig konzentrieren und Gesprächen nur angestrengt folgen können. Sie fühlen sich matt und sind leicht vergesslich. Manche Mütter bezeichnen diesen Zustand scherzhaft als »Stilldemenz«. Prolaktin kann auch dazu beitragen, dass stillende Mütter besonders empfindsam und »nah am Wasser gebaut« sind.

Seien Sie in jedem Fall **NACHSICHTIG**, und versuchen Sie Ihre Partnerin zu unterstützen. Manchmal hilft auch ein kleiner Scherz, um die nötige Gelassenheit im Umgang mit diesen »Nebenwirkungen« zu bewahren.

Stillfrust gemeinsam überstehen

4

In unregelmäßigen Abständen hat Ihr Kind **WACHSTUMSSCHÜBE**. Dann ist es hungriger als sonst. So kann es sein, dass Babys, die normalerweise alle drei Stunden gestillt werden wollen, schon nach ein bis zwei Stunden Hunger haben. Das kann für Ihre Partnerin sehr anstrengend sein, besonders nachts. Es ist aber wichtig, dem Kind dann nicht die Brust zu verweigern. Denn nach ein paar Tagen produziert sie mehr Milch, und das Kind findet meist zum **ALTEN STILLRHYTHMUS ZURÜCK**.

» Ich bin meiner Frau sehr dankbar und stolz auf sie, dass sie unsere beiden Kinder jeweils rund zwei Jahre gestillt hat. Das war nicht immer leicht, aber gut für uns alle! «

[Walter, 36 | *2 Kinder*]

Wenn Ihre Partnerin des Stillens einmal überdrüssig sein sollte, kann es helfen, wenn Sie sich gemeinsam vorstellen, wie viel einfacher es ist, ein Baby nachts an die Brust zu legen und dabei weiter zu dösen, als aufzustehen, Wasser zu kochen, auf die richtige Temperatur abkühlen zu lassen, mit Milchpulver zu mischen und darauf zu achten, alles nicht zu kräftig zu schütteln, weil Ihr Kind sonst vom Schaum Blähungen bekommt …

Väter in der Stillzeit

Stillen ist nicht nur gesund, praktisch und gut für die Beziehung zwischen Mutter und Kind. Auch Sie profitieren davon, indem Ihnen viel Stress erspart bleibt. Tragen Sie deshalb mit dazu bei, dass Ihre Partnerin stillt und dafür gute Bedingungen hat. Ihre Unterstützung ist für sie und Ihr Kind ganz besonders wichtig, denn: **VÄTER SPIELEN EINE ENTSCHEIDENDE ROLLE FÜR DEN STILLERFOLG UND DIE STILLDAUER.**

Die Weltgesundheitsorganisation empfiehlt, Säuglinge mindestens sechs Monate ausschließlich zu stillen und im Anschluss daran noch ein Jahr lang, während das Kind sich an feste Kost gewöhnt.

Umgang mit Neid & Eifersucht

Manche Väter sind eifersüchtig auf den innigen Kontakt von Mutter und Kind. Sie fühlen sich ausgeschlossen aus dieser Zweisamkeit und denken, dass sie überflüssig sind. Sie befürchten, sich von ihrer Partnerin zu entfremden, die anscheinend nur noch Körperkontakt mit dem Baby haben will.

Hinzu kommt, dass die Brust als sexuelles Objekt nun von einer anderen Person »belagert« wird. Häufig sind stillende Mütter in puncto Körperkontakt so gesättigt, dass auf Zärtlichkeiten mit dem Partner und Vater kaum noch »Appetit« bleibt.

Wenn bei Ihnen solche Gefühle – Eifersucht, Frust und Neid – entstehen:

SIE SIND DAMIT NICHT ALLEINE. Es geht vielen jungen Vätern so. Aber, wenn Sie sich jetzt frustriert zurückziehen, wird Ihre Situation nicht besser, sondern schlimmer. Auch ein abruptes Beenden des Stillens oder Stillprobleme, die oft psychisch ausgelöst sind, belasten die gesamte Familie – somit auch Sie.

SEHEN SIE LIEBER DAS POSITIVE: Ihr Kind ist bestens versorgt und spätestens nach sechs Monaten, wenn Sie beginnen zuzufüttern, können auch Sie es ernähren. Und bis dahin können Sie Ihr Baby hin und wieder mit abgepumpter Milch aus dem Fläschchen »stillen«. Das verschafft auch Ihnen das befriedigende Gefühl des Versorgens.

Was Sie vom Stillen haben

4

1 **Sie wissen, dass Ihr Kind immer die Nahrung bekommt, die es braucht.**

2 **Sie müssen kein Geld für Flaschennahrung ausgeben.**

3 **Sie müssen nachts seltener aufstehen.**

4 **Sie können sich mit Ihrer Familie sorglos bewegen und in den Urlaub fahren, gute Nahrung ist immer dabei.**

5 **Mit abgepumpter Milch können auch Sie Ihr Kind ab und zu »stillen«.**

6 **Sie haben zu Hause auch einmal Ruhe für sich, wenn das Kind gestillt wird.**

Erfahrungsbericht

Falk, 35, 1 Kind:

Uta wollte zwei Monate nach Noras Geburt wieder in den Beruf einsteigen. Ich fand das toll und wollte gern mit der Flasche füttern. Mein Vorteil als Freiberufler ist, dass ich zu Hause arbeite und meine Arbeitszeit flexibel gestalten kann. Wir schafften uns eine mechanische Milchpumpe an, einen Sterilisator, mehrere Fläschchen und Sauger, Flaschenwärmer, Bürsten … Am Ende waren rund 150 Euro investiert – aber durch Utas Arbeit hatten wir das Geld schnell wieder drin.

Wir probierten das neue System natürlich vor dem »Ernstfall« gut aus. Der Alltag läuft seitdem so ab: Uta nimmt die Milchpumpe mit zur Arbeit und pumpt während des Tages ihre Milch ab. Diese lagert sie zunächst in Plastikbeuteln im Kühlschrank. Die Beutel bringt sie mit nach Hause, wo sie gleich in den Gefrierschrank wandern. Vor dem Zubettgehen pumpt sie nochmals Milch ab – sie weiß: Nora schläft von 21 bis 3 Uhr morgens ruhig. Um 3 Uhr früh hat sie wieder genug Milch in der Brust – denn die Nachfrage bestimmt das Angebot. So sammelt sich nach und nach ein Muttermilchvorrat im Gefrierschrank an, auf den ich zurückgreifen kann. Ich taue die Milch zwei Stunden vor der Mahlzeit auf. Bei Raumtemperatur, damit sie nicht verdirbt. Ich fülle sie in ein sauberes, sterilisiertes Fläschchen ab und »stille« Nora, wenn sie Hunger anmeldet. Nora hat ihren festen Rhythmus. Da weiß ich gleich Bescheid.

Ich habe in Noras achter Lebenswoche mit dem »Stillen« begonnen, damit sie sich früh auf zwei Milchquellen einstellen konnte. Sauberkeit ist sehr wichtig: Fläschchen und Sauger sterilisiere ich grundsätzlich. Wenn die Milch einmal aufgetaut ist, darf man sie nicht wieder einfrieren. Deshalb haben wir immer passende Portionen plus eine Reserve im Gefrierfach. Man lernt ja schnell, wie viel das Baby normalerweise trinkt.

So können Sie sich am Stillen beteiligen

Egal, wie Sie Ihre Aufgaben verteilen, es gibt viele Möglichkeiten, sich aktiv am Stillen zu beteiligen. Und Ihre Partnerin und Ihr Kind zu unterstützen.

- Bringen Sie Ihrer Partnerin etwas zu trinken. Stellen Sie sich vor, dass Ihr Kind dieses Getränk als Milch durch Ihre Partnerin weitergeleitet bekommt.
- Legen Sie sich, wenn Ihre Partnerin stillt, hinter sie und halten Sie Ihr Kind und Ihre Frau im Arm, so wie Sie es bestimmt auch in der Schwangerschaft öfter getan haben. Auf diese Weise können Sie beiden nahe sein.
- Sie können die Zeit und die Ruhe des Stillens nutzen, um für Ihre Partnerin und sich selbst eine gesunde und kräftigende Mahlzeit zu kochen. Auch diese Nahrung wird Ihre Partnerin sehr bald an Ihr Kind weitergeben.
- Setzen Sie sich beim Stillen zu Ihrer Familie und lesen Sie Ihrer Frau und Ihrem Kind etwas vor – es gibt auch Hunger nach geistiger Nahrung zu stillen.
- Bleibt Ihre Partnerin in der ersten Zeit zu Hause und Sie verdienen den Lebensunterhalt der Familie, dann ermöglichen Sie die Ernährung der gesamten Familie. Sie »stillen« die Bedürfnisse Ihrer Partnerin und Ihres Kindes!
- Überlegen Sie mit Ihrer Partnerin bereits vor der Geburt, welche Vor- und Nachteile Sie beim Stillen sehen. Fragen Sie sich, ob und wie lange Sie möchten, dass Ihr Kind Muttermilch bekommt, und überlegen Sie, wie Sie sich gegenseitig in der Stillzeit helfen können.
- Darüber hinaus hilft es Ihnen beiden sicher, wenn Sie sich hin und wieder gegenseitig für das, was Sie beide im Alltag leisten, loben. Lob und Anerkennung fürs Stillen, für die Erwerbs- und die Hausarbeit sorgen für mehr Zufriedenheit in Ihrer Familie.

Brust oder Flasche – eine gemeinsame Entscheidung

Stillen ist also der Idealfall. Es kann aber auch sein, dass Ihre Partnerin sich durchs Stillen anhaltend überfordert fühlt. Schlechte Rahmenbedingungen, wie unzureichende Anleitung, Unsicherheit, mangelnde Ruhe und fehlender Schlaf können Mütter auch dermaßen stressen, dass es zu wunden Brustwarzen und Brustentzündungen kommen kann. Wenn sich das Stillen also trotz Hebammenhilfe und Stillberatung immer mehr zur Last entwickelt, kann es für die ganze Familie auch eine ERLEICHTERUNG sein, sich zur FLASCHENNAHRUNG durchzuringen. Suchen Sie in einem solchen Fall zusammen mit Ihrer Partnerin eine Lösung, und tragen Sie diese Entscheidung gemeinsam.

Bedrängen Sie Ihre Partnerin nicht. Denn oft fühlen sich Mütter als »Versagerinnen«, wenn Sie »aufgeben«. Erkennen Sie ihre Bemühungen an, und machen Sie das Fläschchen zu Ihrem gemeinsamen Projekt.

Ein weiterer Grund zum vorzeitigen Abstillen kann sein, dass Ihre Partnerin ein Medikament einnehmen muss, das in die Muttermilch übergeht. Auch in diesem Fall ist Ersatznahrung ein Segen und eine gute Chance für Sie als Vater, Ihr Kind regelmäßig zu füttern.

Der Übergang zur festen Kost

Wenn Ihr Kind nach Vollendung des sechsten Monats Interesse am Essen zeigt und keine Allergiegefährdung vorliegt, können Sie mit reinem Gemüsebrei anfangen zuzufüttern. Sehr gut eignet sich Kürbis. Der ist natursüß und allergie-unverdächtig. Wenn Sie keinen Zeitdruck bei der Einführung fester Kost haben, etwa weil Ihre Partnerin wieder arbeiten gehen will, sollten sie LANGSAM VORGEHEN. Achten Sie darauf, wie essbegeistert Ihr Kind ist. Alle zwei Wochen eine Stillmahlzeit zu ersetzen reicht aus. Lassen Sie Ihrem Kind Zeit.

Weinen, Schreien und Beruhigen

Weinen und Schreien gehören in den ersten Monaten zum Alltag mit Baby. Das kann die Nerven ganz schön aufreiben, aber beides sind (noch) die **WICHTIGSTEN AUSDRUCKSFORMEN**, die Ihr Kind besitzt, um sich mitzuteilen.

Nach einiger Zeit können Sie die unterschiedlichen Formen des Weinens und Schreiens deuten. Sie erkennen dann schnell, ob Ihr Baby hungrig, müde oder gelangweilt ist, ob ihm etwas wehtut oder ob es sich nach körperlicher Nähe sehnt.

Manchmal schreit ein Baby jedoch scheinbar ohne Grund; auch dann, wenn alle körperlichen Bedürfnisse befriedigt sind. Es scheint einfach untröstlich zu sein.

Eine solche Situation stellt eine **ARGE GEDULDSPROBE** dar. Viele Eltern kämpfen dabei mit Hilflosigkeit, Verzweiflung oder gar Wut – und anschließend mit einem schlechten Gewissen. Vielleicht hilft Ihnen der Gedanke, dass Ihr Kind nie in der Absicht schreit, Sie zu ärgern. Es steckt immer ein Grund dahinter. Wenn Sie mit Ihren Nerven einmal am Ende sind, hilft ein **WECHSEL IN DER BETREUUNG** am besten.

» Wenn ich das Weinen meiner Kinder nicht mehr aushalten konnte, war es immer gut, sie abzugeben – meist haben sie sich dann viel schneller beruhigt als bei ihrem gestressten Vater. «

[Walter, 36 | *2 Kinder*]

4

Schreien ist **IMMER EINE BOTSCHAFT AN SIE**, auf die Sie reagieren müssen. Je eher Sie Ihr Baby trösten, desto früher wird es sich beruhigen. Wenn Sie alle möglichen körperlichen Gründe abgecheckt haben und es immer noch schreit, überlegen Sie, wie der Tag für Ihr Baby gelaufen ist. Vielleicht baut es durch sein Schreien Spannungen ab? Etwa dann, wenn es von einem Übermaß an Eindrücken überfordert ist: Es war im Supermarkt dabei, es ist im Auto mitgefahren, Besucher haben es angeschaut und betüddelt, ältere Geschwister haben es geneckt…?

Nicht nur Eltern sind von einem hektischen Tag genervt – auch Babys macht Stress zu schaffen!

Hinter scheinbar grundlosem Schreien kann allerdings auch ein traumatisches Geburtserlebnis stecken, das auf diese Weise verarbeitet wird. Dann hilft nur Zuwendung, Geduld und noch mal Geduld!

Wenn Ihr Baby immer wieder stundenlang schreit und sich nicht trösten lässt, sollten Sie zur Sicherheit von Ihrem **KINDERARZT ABKLÄREN** lassen, ob organische Ursachen vorliegen.

TIPP

Umgang mit weinenden Babys

→ Wenn Ihr Kind scheinbar grundlos brüllt, dann halten Sie es liebevoll auf dem Arm und sagen Sie ihm, dass es in Ordnung ist, so zu weinen, es wird schon seinen Grund haben, auch wenn er für Sie nicht ersichtlich ist. Probieren Sie nicht zu viele verschiedene Maßnahmen zum Trösten kurz hintereinander aus, das kann Ihr Kind verwirren. Meist hilft es, wenn Sie Ihr Baby ruhig im Arm halten und dabei tief und gleichmäßig in den Bauch atmen. Viele Babys beruhigen sich dadurch. Sie können auch leise mit ihm reden oder ihm etwas vorsingen.

Wie Ihr Baby in den Schlaf findet

Wie das Baby schläft, das ist ein heißes Thema für viele junge Eltern. Der Schlaf des Kindes ist das Gesprächsthema Nummer eins bei Nachtreffen von Geburtsvorbereitungskursen und bei Eltern-Kind-Spielgruppen. Nicht selten hat die Frage eines unbedarften Bekannten: »Na, schläft es schon durch?« vom Schlafentzug geplagte Eltern an den Rand des Wahnsinns gebracht.

Im ersten Lebensjahr passt das Baby seinen Schlaf-Wach-Rhythmus nach und nach an den Tag-Nacht-Wechsel an. Es geht dazu über, mehr als vier Stunden am Stück zu schlafen. Die einen Kinder lernen das früher, die anderen später. Das SCHLAFBEDÜRFNIS von Säuglingen ist – wie bei Erwachsenen auch – sehr unterschiedlich. Die meisten Säuglinge schlafen 14 bis 18 Stunden am Tag. Manche schlafen sogar 20 Stunden, andere begnügen sich mit 12 bis 14 Stunden.

Nur wenige Babys schlafen in den ersten sechs Monaten durch. Gerade voll gestillte Kinder benötigen nachts EINE BIS DREI STILLMAHLZEITEN, weil die Muttermilch so gut verdaulich ist. Das ist sehr anstrengend für Sie als Eltern, und nichts wäre schöner als ein Patentrezept, um schneller wieder zu mehr Schlaf zu kommen. Außer viel Geduld und dem tröstlichen Wissen, dass es von Monat zu Monat besser wird, helfen vor allem VIEL RUHE UND RITUALE beim Einschlafen.

Hüten Sie Ihr Kind im ersten Lebensjahr vor Schlaf-Trainingsprogrammen, die dazu raten, das Kind im Bett alleine schreien zu lassen – sei es auch nur für kurze Zeit. Das Vertrauen des Babys in Sie als Eltern und in seine Umwelt kann dadurch stark geschädigt werden. Um Ihrem Kind das Einschlafen zu erleichtern, sollten Sie die abendlichen Aktivitäten immer in der gleichen Reihenfolge gestalten. Dann wird Ihr Kind sich bestimmt bald darauf eingestellt haben, dass es Zeit ist, zu schlafen.

Suchen Sie sich den Ablauf aus, der zu Ihnen passt, kombinieren Sie verschiedene kleine Rituale. Nur toben sollten Sie in der letzten halben Stunde vor dem Schlafen nicht mehr mit Ihrem Kind.

Ob es dann beim Stillen einschläft, ob Sie bei ihm bleiben, bis es eingeschlafen ist, oder ob Sie aus dem Zimmer gehen, wenn es noch wach liegt, hängt von Ihrem Gefühl oder IHREN EINSTELLUNGEN ab. Lassen Sie sich dabei möglichst wenig von anderen reinreden, jede Familie handhabt das anders.

Die schönsten Einschlafrituale

1 → **Das Lieblingsbuch gemeinsam anschauen oder vorlesen**

2 → **Selbst eine kleine Geschichte erzählen**

3 → **Den Kuscheltieren »Gute Nacht« sagen**

4 → **Ein bestimmtes Schlaflied singen**

5 → **Erzählen, was am Tag schön war**

6 → **Die Spieluhr aufziehen**

7 → **Erzählen, wer schon alles eingeschlafen ist (»Die Oma schläft schon, und der Opa schläft schon, die Katze schläft schon …«)**

8 → **Ein Gebet sprechen**

Tränen
nach der Geburt

Das Baby strahlt, die Mutter hält es verzückt lächelnd im Arm, der Vater blickt stolz auf die beiden herab. Wie stark haben wir selbst dieses Bild der glücklichen Elternschaft im Kopf.

Doch oft trügt der Schein. Die Geburt eines Kindes – besonders des ersten – bedeutet für jede Frau und für jeden Mann **TIEF GREIFENDE VERÄNDERUNGEN**: körperlich, psychisch und sozial.

Der »ganz normale Wahnsinn«

Die meisten Eltern werden bald nach der Geburt auch mit recht unangenehmen Dingen konfrontiert: einem schreienden Kind, Schlafentzug, Erschöpfung, Angst vor der lebenslangen Verantwortung und dem drohenden Rückfall in ein traditionelles Rollenmodell.

In der Regel sind die direkt Betroffenen die Mütter. Zwischen Stillen, Wickeln, Trösten und der Organisation des Haushalts bleibt ihnen oft überhaupt **KEINE ZEIT MEHR FÜR ENTSPANNUNG** und Erholung. Von den Auswirkungen ist jedoch die ganze Familie betroffen. Doch wo endet der »ganz normale Wahnsinn« nach der Geburt, und wo beginnt die psychische Erkrankung? In der Wissenschaft unterscheidet man zwischen Babyblues, Wochenbettdepression (schwere Depression) und Wochenbettpsychose (Verwirrtheit, Wahnvorstellungen). Die beiden letzteren Formen kommen relativ selten vor (bei 10 bis 15 beziehungsweise 0,2 Prozent der Mütter).

»Babyblues« dagegen (auch Heultage genannt) tritt bei rund 50 Prozent der Mütter am 3.–5. Tag nach der Geburt auf und dauert nur einige Stunden oder Tage. Er äußert sich durch leichte Verstimmung, Weinerlichkeit, Schlaflosigkeit, Erschöpfung, Reizbarkeit und allgemeine psychische Labilität.

Über den »Babyblues« wird in Geburtsvorbereitungskursen zum Glück immer häufiger gesprochen. Die Wochenbettdepression und -psychose sind dagegen selbst in Fachbüchern kaum Thema. Hier ist noch viel Aufklärungsarbeit notwendig.

Wie Sie Ihrer Partnerin helfen können

Bei den meisten Frauen hängt eine depressive Verstimmung direkt nach der Geburt mit der hormonellen Umstellung und den Rahmenbedingungen rund um die Geburt zusammen. Damit sich der »Babyblues« nicht zu einer Depression auswächst, zeigen Sie **VERSTÄNDNIS** für die Situation Ihrer Partnerin.

- Achten Sie darauf, ihre Gefühle nicht herunterzuspielen.
- Nehmen Sie sie in den Arm und zeigen Sie ihr, dass Sie sie so lieben, wie sie ist.
- Entlasten Sie Ihre Partnerin von Haushalt und Kind.
- Suchen Sie rechtzeitig mit Ihrer Frau professionelle Hilfe.

Väter im Babyblues

Auch für Sie als Vater sind die ersten Tage und Wochen mit Kind nicht immer leicht. Wenn Sie sich unzufrieden, verstimmt und depressiv fühlen, suchen Sie sich Gesprächspartner. Fragen Sie andere Väter, wie es ihnen in dieser Zeit ging. Wenn Sie offen Ihre Probleme schildern, rücken auch »rundum glückliche« Freunde oft mit der Sprache heraus, und das kann **SEHR HILFREICH** und tröstlich sein.

Vergegenwärtigen Sie sich, dass auch diese Durststrecke ein Ende haben wird, wenn Ihr Kind ein wenig älter ist und sich der Familienalltag eingespielt hat. Das ist **KEIN SELBSTBETRUG**, sondern eine Tatsache! Hilfen finden Sie auch im Internet (→ Anhang, Seite 173).

Die ersten 12 Monate

Babys entwickeln sich mit rasanter Geschwindigkeit. Selbst wenn Sie Ihr Kind jeden Tag sehen, mit ihm spielen, es wickeln, füttern und baden, werden Sie manchmal das Gefühl haben, etwas in seiner Entwicklung verpasst zu haben.

Um Ihnen einen kurzen Überblick über das erste Lebensjahr Ihres Kindes zu geben, haben wir auf der folgenden Seite einen Entwicklungskalender zusammengestellt. Die zeitlichen Angaben sind Durchschnittswerte und beziehen sich immer auf das Ende des Zeitraums.

Ist Ihr Kind mit dem einen oder anderen Schritt noch nicht so weit, ist das kein Grund zur Panik! Jedes Kind entwickelt sich unterschiedlich schnell. Halten Sie die Vorsorgeuntersuchungen (U1–U9) für Ihr Kind gewissenhaft ein. Ihr Kinderarzt kann bei diesen Untersuchungen Entwicklungsverzögerungen rechtzeitig feststellen und, wenn nötig, mit Ihnen über Fördermaßnahmen sprechen.

Wie Sie Ihr Kind altersgemäß fördern und viel Spaß mit ihm und anderen Vätern und Kindern haben können, erfahren Sie ab Seite 119.

4

Als meine Tochter anfing zu krabbeln, ging alles ganz schnell. Wir kamen kaum nach, alle gefährlichen Dinge außer Reichweite zu schaffen. Um sie nicht zu sehr zu frustrieren, haben wir einen Schrank zum »Hannah-Schrank« erklärt – den durfte sie nach Herzenslust ausräumen.

[Robert, 36 | *2 Kinder*]

AUF EINEN BLICK

Wie sich Ihr Kind entwickelt

1./2. Monat	**1. Monat:** erste Reflexe: es bewegt hochgehoben seine Beine, als wollte es laufen; Hände und Füße machen bei Berührung der Innenfläche Greifbewegungen; es kann in Bauchlage seinen Kopf kurz heben; es reagiert auf Geräusche. **2. Monat:** Ihr Kind erwidert Ihr Lächeln; es kann auf dem Bauch liegend kurz seinen Kopf halten; es versucht, alles in den Mund zu stecken.
3./4. Monat	**3. Monat:** Ihr Kind stützt sich vom Bauch auf die Unterarme; es fängt an sich zu drehen und rollt von der Seite auf den Rücken; es reagiert mit Lächeln auf freundliche Ansprache; es kann Gegenständen und Personen mit den Augen folgen; es bringt seine Hände vor dem Gesicht zusammen und spielt mit ihnen. **4. Monat:** Ihr Kind beginnt zu »plappern«; es greift nach entfernten Gegenständen; Bewegungen und Greifen werden immer sicherer; es erforscht alle Gegenstände mit dem Mund – Vorsicht vor verschluckbaren Kleinteilen!
5./6. Monat	**5. Monat:** Ihr Kind stützt sich aus der Bauchlage auf seine geöffneten Hände; kann Arme und Beine anheben und auf dem Bauch schaukeln; es lernt, Personen, Gesichtsausdrücke und den Tonfall zu unterscheiden. **6. Monat:** Ihr Kind dreht sich in der Rückenlage hin und her; es greift gezielter, schaut herunterfallenden Dingen nach; es greift nach den Füßen; es wechselt Dinge von der einen in die andere Hand; es versucht, sich allein aufzurichten.
7./8. Monat	**7. Monat:** Ihr Kind kann ohne Hilfe sitzen; es dreht sich vom Rücken auf den Bauch; es nimmt seine Füße in den Mund; eine stabile Beziehung zu Ihnen besteht, es beginnt zu »fremdeln«; Wünsche kann es durch einsilbige Ruflaute ausdrücken; es ist oft unzufrieden, weil es mehr will, als es kann. **8. Monat:** Ihr Kind macht erste Versuche, in den »Vierfüßlerstand« zu kommen; es kann sich an Möbeln zum Knien hochziehen; es kann selbständig sitzen und spielt mit beiden Händen; es beginnt mit den Händen zu essen.
9./10. Monat	**9. Monat:** Ihr Kind beginnt zu krabbeln; es greift mit Daumen und Zeigefinger; es kann längere Zeit sitzen; es lallt vielfältige Silben und ahmt Sprache nach. **10. Monat:** Ihr Kind setzt sich aus der Bauchlage von allein auf; wenn Sie es an den Händen halten, kann es schon für kurze Zeit stehen; es krabbelt immer schneller und freut sich, wenn es ein Regal- oder Schrankfach mit ungefährlichen Gegenständen ausräumen darf; Vorsicht bei Treppen!
11./12. Monat	**11. Monat:** Ihr Kind krabbelt jetzt durch die Wohnung; es zieht sich an Möbeln hoch und macht erste unsichere Gehversuche; es plappert fortwährend, häufig begleitet durch ergiebiges Sabbern; es kann seine Gefühle nun auch körperlich etwa durch Umarmungen oder Wegschubsen ausdrücken. **12. Monat:** Ihr Kind lernt, erste selbständige Schritte zu machen; seine Sprache entwickelt sich weiter, es versteht kleine Aufforderungen; es reagiert auf seinen Namen und: Es hat Geburtstag – herzlichen Glückwunsch zu Ihrem ersten Jahr Vaterschaft!

Worauf Sie achten sollten

1./2. Monat

Gehen Sie mit Ihrem Kind in der 4. bis 6. Lebenswoche zur Vorsorgeuntersuchung U3! Haben Sie keine Angst, Ihr Baby zu »verwöhnen«. Kinder deren Bedürfnisse in dieser frühen Zeit befriedigt werden, entwickeln ein gesundes Vertrauen in sich selbst und ihre Umwelt. Sprechen Sie in vollständigen Sätzen mit ihm, vermeiden Sie »Babysprache«. Lassen Sie Ihr Kind in Ihrer Nähe schlafen und packen Sie es im Bett nicht zu warm ein, sorgen Sie zudem für frische Luft.

3./4. Monat

Stimmen Sie mit Ihrem Kinderarzt einen Impfplan ab. Falls Ihr Kind Allergie gefährdet ist, überlegen Sie gemeinsam, welche Impfungen jetzt notwendig sind und welche später erfolgen können. Beobachten Sie Ihr Kind gut. Fallen Ihnen Bewegungen oder Verhaltensweisen auf, die Sie verunsichern, sprechen Sie bei der U4 darüber. Melden Sie sich mit Ihrem Kind fürs »Baby-Schwimmen« oder zur »Babymassage« an. Spielen Sie mit Ihrem Kind! Beteiligen Sie es dabei und »beschäftigen« Sie es nicht nur mit Spielzeug. Es tut ihm gut, wenn es sich bewegt. So werden die Motorik, das Gleichgewicht und die Durchblutung gefördert.

5./6. Monat

Dreht Ihr Kind seinen Kopf nach beiden Seiten? Hört es mit beiden Ohren gut? Testen Sie es, indem Sie mit Backpapier rascheln, ohne dass Ihr Kind Sie sieht, einmal rechts, einmal links von seinem Kopf. Folgt es den Geräuschen mit dem Kopf? Falls nicht, sprechen Sie bei der U5 darüber. Ihr Kind ist nun schon recht mobil, lassen Sie es daher niemals unbeaufsichtigt an Plätzen liegen, von denen es herunterfallen könnte (etwa auf dem Wickeltisch)! Ende des 6. Monats können Sie es langsam an Beikost gewöhnen.

7./8. Monat

Setzen Sie Ihr Kind nicht ungestützt hin, wenn es sich noch nicht allein aufsetzen kann. Lassen Sie es nicht allein, es sei denn, es schläft. Kinder lernen am besten durch Zusehen etwa bei der Hausarbeit und Nachahmen. Vorsicht: Wenn Ihr Kind sich an Möbeln hochzieht, ist es Zeit, die Wohnung kindersicher zu gestalten. Gewöhnen Sie Ihr zahnendes Kind mit einer Lernzahnbürste frühzeitig ans Zähneputzen. Mit dem Zahnen können leichte, säuerliche Durchfälle verbunden sein. Fragen Sie im Zweifel Ihren Kinderarzt. Wenn Ihr Kind schon mehr will, als es kann, seien Sie geduldig.

9./10. Monat

Ihr Kind hat die Schwerkraft entdeckt – es lässt Gegenstände immer wieder fallen und freut sich, wenn Sie sie wieder aufheben. Das hat nichts mit Schikane zu tun. Wiederholen Sie seine Gebärden und sein Geplapper. Damit spiegeln Sie ihm sein Verhalten. Loben Sie Ihr Kind für das, was es tut! Ein Laufstall sollte keine Dauereinrichtung sein, denn er bremst den Bewegungs- und Entdeckungsdrang Ihres Kindes. Benutzen Sie keine Lauflernhilfen! Sie sind nicht entwicklungsgemäß und zudem gefährlich, wenn Treppen in der Nähe sind.

11./12. Monat

Wenn Ihr Kind mit Laufen oder Sprechen noch nicht so weit ist, lassen Sie ihm Zeit. Förden Sie es durch Spielen und Singen und sprechen Sie viel in ganz normalen Sätzen mit ihm. Ihr Kind sollte nicht ständig den Schnuller im Mund haben – das kann die Sprachentwicklung behindern. Wenn Sie unsicher sind, ob es altersgemäß entwickelt ist, fragen Ihren Kinderarzt bei der U6. Bei dieser Untersuchung haben Sie auch Gelegenheit, mit ihm zu beraten, welche Impfungen noch durchgeführt werden sollten. Überlegen Sie gut, wen Sie zum ersten Geburtstag einladen möchten. Weniger Besuch ist oft mehr – zu viele verschiedene Eindrücke strengen kleine Kinder sehr an.

5 Spiel und Spaß für Papa und Baby

→ Babys und Kleinkinder sind Frauensache? Stimmt nicht! Als aktiver Vater sind Sie ganz besonders wichtig für Ihr Baby. Nehmen Sie sich darum Zeit für Ihr Kind. Wie Sie es altersgemäß fördern können, lesen Sie auf den nächsten Seiten. Hier erfahren Sie auch, was Sie mit Ihrem Kind in Ihrer gemeinsamen Zeit tun und wie Sie viel Spaß mit anderen Vätern und Kindern haben können.

Raum und Zeit
für Vater und Kind

Väterforscher kommen zwar zu der Einschätzung, dass nicht allein die Menge der Zeit, die ein Vater mit seinem Kind verbringt, entscheidend ist für die Qualität der Vater-Kind-Beziehung. Am wichtigsten sei vielmehr, dass der Vater **GERNE** mit seinem Kind zusammen ist, es liebt, ihm Anerkennung gibt und seine Entwicklung aktiv begleitet. Doch dafür braucht man(n) nun mal Zeit.

Ohne Zeit besteht keine Chance zur Beschäftigung und damit zum Aufbau einer guten Beziehung.

Liebe, gelebte Liebe, braucht Zeit. Das ist zwischen (Ehe-)Partnern nicht anders als zwischen Vater und Kind. Deshalb sollten Sie sich feste Zeiten für Ihr Kind einrichten und bestimmte Aufgaben übernehmen, für die Sie zuständig sind.

Bereits wenige Wochen nach der Geburt beginnt sich ein gewisser Rhythmus in den Tagesgewohnheiten Ihres Kindes einzustellen. Beobachten Sie, wann es wach ist und wann es schlafen will. Überschneiden sich die Zeiten, in denen Sie zu Hause sind, und die Wachphasen Ihres Kindes?

Wenn es sehr wenige Überschneidungen gibt, sollten Sie mit Ihrer Partnerin überlegen, wie Sie den **ALLTAG UMSTRUKTURIEREN** können:

- Ist es möglich, dass Sie früher oder später zur Arbeit gehen beziehungsweise nach Hause kommen?
- Lässt sich vielleicht auch der Rhythmus Ihres Kindes verschieben, indem Sie es allmählich früher ins Bett bringen und entsprechend früher wecken oder umgekehrt?

Ausgiebiges »bevatern«

Wenn Sie es geschafft haben, sich mehr Zeit mit Ihrem Kind einzurichten, überlegen Sie, **WELCHE AUFGABEN** Sie in dieser Zeit übernehmen können und wollen. Möglichkeiten gibt es viele (→ ab Seite 123). Der Vorteil einer einigermaßen klaren Zeit- und Aufgabenverteilung zwischen Ihnen und Ihrer Partnerin ist, dass Ihr Kind bestimmte Dinge fest mit Ihnen oder ihr verbindet.

- Wenn Sie etwa morgens einen gemeinsamen Rhythmus haben, wecken Sie Ihr Kind, waschen Sie es, wickeln Sie es, ziehen Sie es an.
- Wenn es eher abends passt, übernehmen Sie die abendliche Wasch- und Wickelprozedur und bringen Sie Ihr Kind ins Bett.

» Zeit ist nicht alles, aber ohne Zeit fürs Kind ist alles nichts! «

[Gerhard, 25 Jahre | *1 Kind*]

Schaffen Sie sich möglichst bald Zeit- und Freiräume, in denen Sie auch allein etwas mit Ihrem Baby unternehmen. Suchen Sie mit Ihrer Partnerin je nach Ihren Möglichkeiten tagsüber, abends oder am Wochenende **PASSENDE ZEITEN**. Vielleicht hat Ihre Partnerin ja auch Lust, sich allein mit einer Freundin zu treffen – nutzen Sie die Chance, Ihr Kind ganz allein zu »bevatern«!

Springen Sie dabei aber nicht in allzu kaltes Wasser! Wenn Sie sich eine Stunde allein mit Ihrem Baby zutrauen, dann verbringen Sie eine Stunde mit ihm. **TASTEN SIE SICH LANGSAM HERAN**; so gewinnen Sie immer mehr Sicherheit. Es ist leichter, Ihre Zeit mit Kind und ohne Mutter auszudehnen, als sie frustriert wieder zu reduzieren, wenn Sie sich zu viel vorgenommen haben.

Falls Sie noch nie (abgepumpte) Milch mit einem Fläschchen gefüttert haben (→ Seite 106), dann ÜBEN SIE DIES VORHER, damit Ihre Zeit mit Kind ein Genuss für Sie beide wird und Sie nicht eine Stunde lang ein vor Hunger schreiendes Baby beruhigen müssen. Wenn Ihr Kind nicht aus der Flasche trinkt, beachten Sie stattdessen seinen STILL-RHYTHMUS – auf wie viel »brustfreie« Zeit mit Ihrem Baby können Sie sich einstellen?

Was Sie nun gemeinsam unternehmen, machen Sie am besten davon abhängig, wonach Ihnen und Ihrer Partnerin gerade ist.

- Wenn Ihre Partnerin zu Hause mal allein sein möchte, schnappen Sie sich den Kinderwagen oder das Tragetuch und gehen Sie mit Ihrem Kind spazieren. Gerade die Bewegung im Wagen oder der intensive Kontakt beim Tragen entspannt viele Kinder sehr schnell. Deshalb kann es passieren, dass Ihr Kind bald einschläft. Nutzen Sie die Zeit dann einfach für Ihre eigene Entspannung: Genießen Sie die Ruhe und die frische Luft. Halten Sie dabei nach Plätzen Ausschau, an denen Sie andere Eltern mit Babys und Kleinkindern treffen können. Über die Kinder ist es besonders leicht, NEUE BEKANNTSCHAFTEN zu knüpfen, auch mit anderen Vätern.
- Möchte Ihre Partnerin aus dem Haus gehen, dann machen Sie es sich mit Ihrem Kind daheim gemütlich. Ist Ihr Baby wach, legen Sie los! Achten Sie darauf, wonach ihm zumute ist. Wenn Sie mit ihm schmusen und kuscheln wollen, versuchen Sie seine Empfindungen genau wahrzunehmen – freut es sich oder wird seine Stimmung schlechter? Babys können sich leider noch nicht so eindeutig äußern. Oft können Eltern – Mütter wie Väter – nur nach dem Prinzip »Versuch und Irrtum« handeln. Probieren Sie aus, was Ihrem Kind gut tut, und SEIEN SIE BEHUTSAM DABEI!

- Sie können Ihr Baby auch wickeln und sich dabei mal etwas mehr Zeit nehmen. Die Rückenlage auf der Wickelkommode eignet sich wunderbar für **BLICKKONTAKT**, um Ihrem Kind etwas zu erzählen und es liebevoll zu streicheln. Oder Sie nutzen die Zeit für eine sanfte Babymassage (→ ab Seite 129).
- Seien Sie dabei **AUFMERKSAM**, und achten Sie darauf, ob Ihr Kind mehr davon möchte und wann es genug hat. Wenn Sie sich etwas Zeit nehmen, machen Sie das meiste gefühlmäßig richtig.

Erfahrungsbericht

Olaf, 38, 2 Kinder:

Als unsere Tochter drei Monate alt war, ging meine Lebensgefährtin Angela ein paar Wochen lang jeden Montagabend zum Rückbildungskurs. Drei Stunden war sie weg! Das war ganz schön aufregend für mich. Irgendwie war unsere Kleine zu der Zeit noch sehr an die Mutter gebunden. Sie wurde ja noch gestillt. Außerdem hat unsere Tochter die Flasche mit der abgepumpten Muttermilch noch abgelehnt. Da wusste ich anfangs nie so recht, ob und wann sie Hunger bekommt. Die ersten zwei Stunden gingen meist ganz gut, aber dann begann häufig Geschrei. Ich habe Mathilda auf den Arm genommen und bin in der Wohnung auf und ab gelaufen. Wenn das nicht half, bin ich mit ihr nach draußen gegangen. Beim Spaziergang im Kinderwagen wurde sie meist ruhiger. Anfangs fühlte ich mich schon ziemlich unsicher. Sicherheit habe ich nach und nach gewonnen, weil ich viel Zeit mit ihr verbracht habe. Schließlich musste ich unser Kind erst mal kennen lernen. Ich habe vieles ausprobiert. Und ich habe viel darüber mit meiner Partnerin gesprochen, die zum Glück nie versucht hat, mir drein zu reden. Nach wenigen Wochen konnte ich die Zeichen meiner Tochter gut lesen und weiß seitdem meistens, was sie möchte!

Auf dem Weg zum Profi-Papa

Wie Sie im ersten Kapitel erfahren haben, können Väter genauso gut mit ihren Babys umgehen wie Mütter. Sie sind ebenso sensibel und machen intuitiv genauso viel richtig (→ Seite 9).

Haben Sie also keine Angst, Ihrem Kind etwas zu brechen, wenn Sie es mit Ihren großen Papa-Händen anfassen. Große Hände sind toll. Und, so empfindlich ist Ihr Kind gar nicht. Bei der Geburt hat es immensen Kräften standgehalten. Es ist gedrückt und geschoben worden.

Viele Frauen schaffen es nicht, ihr Baby mit einer Hand sicher zu halten. **IHRE GRÖSSE** und Ihre Kraft bieten Ihnen also **ECHTE VORTEILE**. Nutzen Sie diese! Halten Sie zum Beispiel Ihr Kind beim Baden fest, oder lassen Sie es auf Ihrer Hand und Ihrem Unterarm in Bauchlage »fliegen« – eine besonders beruhigende Haltung für Babys, die Bauchschmerzen haben (→ Seite 127).

Babys sind neugierig auf ihre Umwelt. Sie interessieren sich für alles, was um sie herum geschieht. Sie wollen sich einmischen und angeregt werden, und sie können und sollten **GEFÖRDERT WERDEN** – von Anfang an! Am besten von Papa und Mama gleichermaßen, denn Ihr Kind genießt die **ABWECHSLUNG**. Grund genug für Sie, Ihren eigenen Stil im Umgang mit Ihrem Kind zu entwickeln.

»Zum Selbstbewusstsein gehört, dass man seine Besonderheit eher pflegt als ablegt.«

[Christa Grasmeyer | *deutsche Autorin*]

Erklären Sie Ihrem Kind die Welt – von Anfang an

Ihr Kind will wissen, was mit ihm und um es herum geschieht! Gewöhnen Sie sich an, Ihrem Kind bei allem, was Sie mit ihm machen, mitzuteilen, was Sie gerade tun.

Ab dem Alter von vier bis sechs Wochen reagiert Ihr Kind auf das, was es hört – besonders auf Sprache. Es wird Ihnen immer interessierter zuhören. Deshalb sollte es für Sie zum ganz normalen »Umgangston« gehören, dass Sie Ihr Kind ansprechen, wenn Sie sich um es kümmern: »So, Hannah, jetzt wasche ich dich … Das ist der Waschlappen, den mache ich jetzt nass – jetzt wasche ich deine Beine …« Stellen Sie sich vor, Ihr Baby ist ein richtiger Gesprächspartner, auch wenn Sie noch keine Antwort in Klartext bekommen. Aber es spürt Ihre liebevolle Aufmerksamkeit, und Sie fördern auf diese Weise die **ENTWICKLUNG DER SPRACHE**, der Wahrnehmungs- und Denkfähigkeit Ihres Kindes von Anfang an – ganz einfach, aber optimal!

Mit vier bis sechs Monaten wird es noch spannender. Ihr Kind will immer mehr von Ihnen hören. Es antwortet, wenn Sie eine Pause machen, zunehmend in seiner noch ganz eigenen Sprache. Stellen Sie Ihrem Kind auch Fragen wie »Magst du das?« Das ist eine direkte Ansprache, und Ihr Kind wird reagieren! Wenn es brabbelnd antwortet, treten Sie in ein Zwiegespräch ein. So werden Sie beide lustige und interessante Konversationen haben.

Sie können Ihrem Kind auch schon jetzt einfache Bilderbücher zeigen, ihm die Gegenstände erklären und erzählen, was im Buch passiert. Auch so schaffen Sie beste Bedingungen für die Entwicklung der Sprache, für Wahrnehmen und Denken Ihres Kindes. **BILDERBÜCHER** gibt es in Hülle und Fülle, auch in Büchereien und in Second-Hand-Läden. Ziehen Sie mit Ihrem Kind los, und suchen Sie sich »zusammen« etwas Schönes aus!

Sanft aufnehmen und hinlegen

Auch einfache Handgriffe wollen gelernt sein. Wenn Ihr Baby auf dem Rücken liegt und Sie wollen es auf den Arm nehmen, bereiten Sie es darauf vor. Nehmen Sie zunächst Blickkontakt mit ihm auf. **ACHTEN SIE AUF SEIN BEFINDEN**, reden Sie mit ihm, berühren Sie es.

→ Schieben Sie dann – wenn Sie Rechtshänder sind – Ihre linke Hand unter den Hals und die rechte unter den Po. Mit dem linken Unterarm stützen Sie Babys Rücken und mit den gespreizten Fingern stützen Sie Nacken und Kopf ab (1). Das klingt komplizierter, als es ist. Sie üben das einige Male, und schnell wird es zu einer **SICHEREN ROUTINE**.

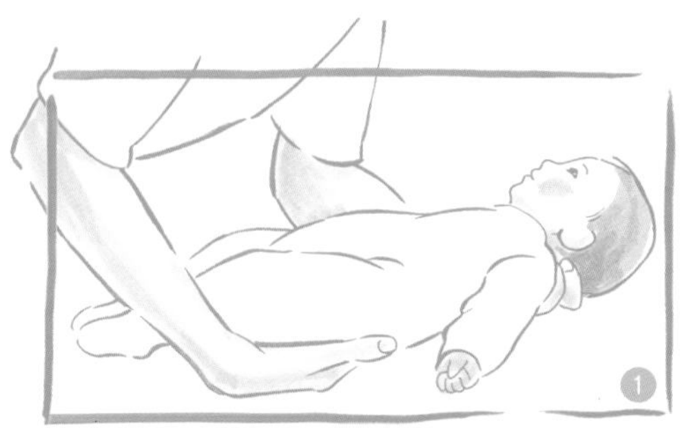

→ Oder Sie umfassen mit beiden Händen den Brustkorb Ihres Babys unter den Achseln. Drehen Sie es leicht auf die Seite, stützen Sie mit Ihren Fingern Babys Nacken und Kopf (2) – und hoch geht's!

Wichtig ist, dass Sie Ihr Baby erst hochheben, wenn es Ihre Hände fest unter seinem Körper spürt. Ebenso beim Hinlegen: Ziehen Sie Ihre Hände niemals ruckartig und erst dann unter dem Körper Ihres Babys weg, wenn es gut auf der Unterlage liegt. Und **STÜTZEN SIE IMMER DEN KOPF IHRES KINDES**, da es ihn noch nicht allein halten kann. Wenn Sie sich unsicher fühlen, besuchen Sie einen Säuglingspflegekurs (→ Seite 98).

Sicher halten und tragen

Halten und Tragen sind die Fortsetzung der gerade beschriebenen Aufnahme-Technik.

→ Der Kopf Ihres Kindes ruht in Ihrer Armbeuge, sein Körper liegt auf Ihrem Unterarm und wird mit der Hand unter seinem Po gehalten. Ihre andere Hand bietet Sicherheit ①. So können Sie gut Blickkontakt zu Ihrem Kind halten.

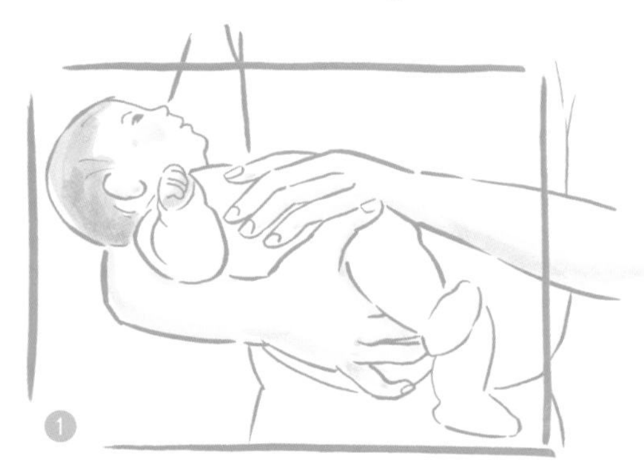

→ Wenn Ihr Baby schon etwas älter ist, wird es sich freuen, wenn Sie es auch einmal vor Ihrem Körper tragen und es nach vorn schauen kann.
Ihr Kind sitzt mit dem Po auf Ihrem rechten Handgelenk, Sie umfassen und halten mit der rechten Hand sicher den linken Oberschenkel Ihres Kindes. Ihr linker Unterarm ist eine Art Sicherheitsbügel vor Babys Oberkörper; der Unterarm stützt sanft ergänzend den Körper und hält ihn unter den Achseln ②.

Achten Sie darauf, dass **KOPF** und **RÜCKEN** Ihres Babys **GUT GESTÜTZT** sind. Erst im Laufe des dritten und vierten Monats lernt Ihr Kind den Kopf zu halten und werden die Rückenmuskeln kräftiger.

→ Auch die **FLIEGER-POSITION** mögen viele Kinder: Halten Sie Ihr Baby so, dass es mit dem Oberkörper auf Ihrem Unterarm liegt, dabei umgreift Ihre Hand seine Achsel. Mit der anderen Hand stützen Sie den Bauch. Sie können das Baby aber auch gut in seiner ganzen Länge auf Ihrem Unterarm ruhen lassen. Sein Köpfchen ruht dabei in Ihrer Armbeuge, Ihre Hand umfasst ein Bein 3. Im Alter von etwa drei Monaten kann es in dieser Position den **KOPF ANHEBEN** und so ebenfalls wunderbar die Übersicht behalten. Wenn Sie sich in dieser Haltung mit Ihrem Kind bewegen, »sichern« Sie es auf jeden Fall mit Ihrer anderen, freien Hand.

Körperkontakt beruhigt

Sie werden sehr schnell lernen, Ihr Kind sicher und »ergonomisch« zu halten und zu tragen oder es zum »Bäuerchenmachen« an Ihre Schulter zu legen. Das tun Sie am besten **NIEMALS OHNE SPUCKTUCH**, denn wenn Babys aufstoßen, ist das selten trocken!

Halten, Tragen und Sanft-auf-dem-Arm-schaukeln, sind klassische Methoden, um unruhige oder weinende Babys zu beruhigen oder in den Schlaf zu wiegen.

Der **ENGE KÖRPERKONTAKT** tut Ihnen beiden gut: Ihr Baby spürt Ihre Wärme, Ihre Bewegungen und riecht Ihren vertrauten Geruch. Sie spüren Ihr Kind ganz nah, lernen es besser kennen und gewinnen Selbstvertrauen und Sicherheit im Umgang mit Ihrem Baby.

Zärtliche Babymassage

Babymassage ist eine schöne, sanfte Art der Beziehungspflege und »Kommunikation ohne Worte« zwischen Ihnen und Ihrem Kind. Ihr Kind erfährt Sie dabei als zärtlichen und einfühlsamen Vater, und Sie lernen seinen Körper und seine Reaktionen auf Ihre Berührungen noch besser kennen.

Babymassage dient der ENTSPANNUNG und der seelisch-mentalen Gesundheit. Sie kann darüber hinaus auch körperlich heilsam wirken, etwa bei Blähungen oder Koliken. Im Vordergrund der Babymassage steht aber, dass Ihr Kind sich wohl fühlt und dass Sie durch Ihre LIEBEVOLLE ZUWENDUNG die Beziehung zueinander stärken.

Wenn Ihr Kind Bauchweh hat, können Sie ihm ganz »dufte« helfen, seine Blähungen loszuwerden. Drücken Sie seine Beine, wenn es auf dem Rücken liegt, abwechselnd sanft zum Bauch wie beim Rad fahren.

Vorbereitungen

Die Raumtemperatur sollte mindestens 25 °C betragen. Sie können Ihr Baby auf dem Bett massieren. Dabei sitzen Sie im Schneidersitz, und Ihr Kind liegt direkt vor Ihnen auf der Matratze. Sie können es aber auch auf Ihre ausgestreckten Beine legen. Benutzen Sie in jedem Fall ein Handtuch zum Unterlegen. Das schützt Sie vor Öl-, Urin- und eventuellen Stuhlflecken. Weil sie sich so schön entspannen, pinkeln nicht wenige Babys bei der Massage.

Sie können Ihr Kind massieren, wenn es ohnehin recht ruhig ist. Oder Sie massieren es zur Beruhigung. Es sollte aber weder hungrig, noch müde sein. Mit der Massage kann die Ruhe, die Sie ausstrahlen, auch auf Ihr Kind übergehen. Haben Sie ein wenig GEDULD. Anfängliche Unruhe oder Quengeln werden sich sicher bald legen.

Sorgen Sie für eine RUHIGE ATMOSPHÄRE. Lassen Sie sich nicht durch äußere Einflüsse ablenken und gehen Sie nicht ans Telefon!

So wird's gemacht

Öl macht die Massage sanfter. Kalt gepresste, ungeröstete Pflanzenöle wie Mandelöl (gibt es zum Beispiel in vielen Naturkostläden) eignen sich am besten. Sorgen Sie dafür, dass Ihre Hände warm sind, und ölen Sie sie ein. Massieren Sie zunächst sehr sanft, zart und nur mit wenig Druck. Achten Sie darauf, wie Ihr Kind reagiert! Seien Sie besonders **VORSICHTIG AM BAUCH**, wenn es Bauchweh hat.

Machen Sie ruhige, gleichmäßige Bewegungen und beziehen Sie alle Körperpartien gleichmäßig ein. Wenn Sie zum Beispiel dreimal das rechte Bein massiert haben, dann massieren Sie auch dreimal das linke. Achten Sie darauf, dass Sie während der gesamten Massage **KÖRPERKONTAKT ZU IHREM BABY HALTEN**. Eine Hand, zumindest ein Finger, sollte die Verbindung zwischen Ihnen und Ihrem Baby die ganz Zeit über aufrechterhalten.

Beginnen Sie mit dem Baby in **RÜCKENLAGE**. Zunächst ein paar Streicheleinheiten für den Kopf:

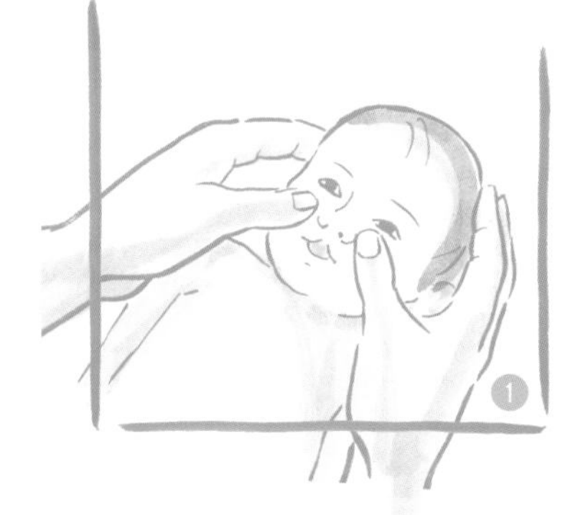

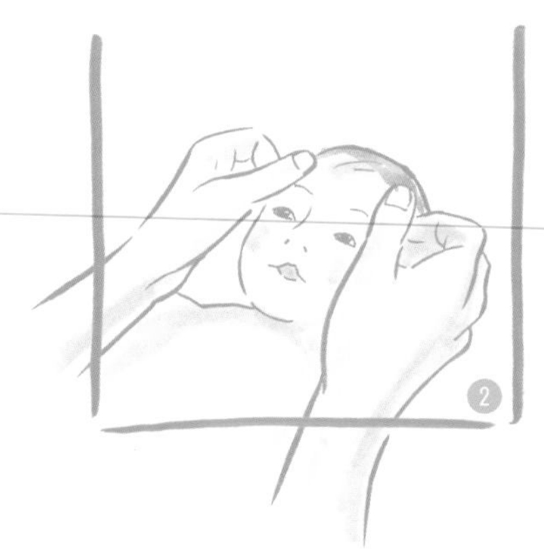

- Streichen Sie das **GESICHT** langsam, gleichmäßig und symmetrisch mit Ihren beiden Daumen von der Nase über die Wangen herab (1). Wiederholen Sie dies einige Male.
- Streichen Sie das Gesicht nun einige Male mit Ihren Daumen symmetrisch von der Mitte der Stirn zu den Schläfen hin aus (2).

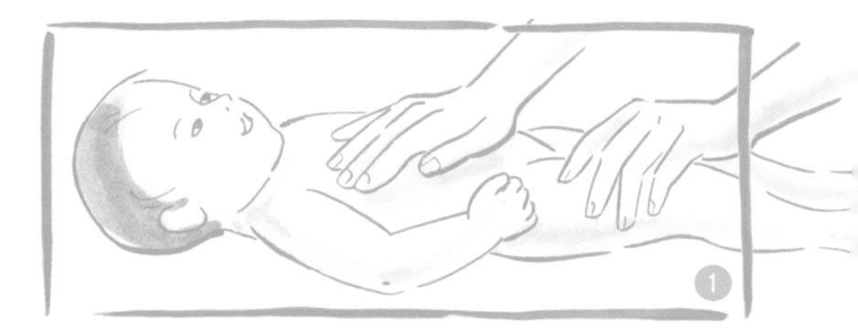

→ Nun der Rumpf: Streichen Sie mit der Hand beginnend an der linken Schulter des Babys diagonal über die **BRUST UND DEN BAUCH**, bis sie am Ansatz des rechten Beines ankommen 1. Anschließend streichen Sie von der rechten Schulter diagonal über den Rumpf zum linken Bein.

→ Setzen Sie jetzt eine Hand in der Mitte des Rumpfes in Brusthöhe an und streichen nach außen zum rechten Arm. Dann setzen Sie wieder in der Mitte an und streichen zum linken Arm.

→ Nun ist der Bauch dran: Streichen Sie kreisend mit Ihrer Hand über den Bauch, und zwar **NUR IM UHRZEIGERSINN** (wegen der Darmrichtung).

→ Drehen Sie Ihr Baby jetzt auf den Bauch und legen Sie es vor Ihren Körper. Legen Sie Ihre Hände nebeneinander quer auf den **RÜCKEN** Ihres Babys, beginnend am Nacken. Während Sie die eine Hand schieben, ziehen Sie die andere jeweils quer zur Wirbelsäule Ihres Babys über den Rücken. Bewegen Sie so Ihre Hände langsam ziehend und schiebend vom Nacken zum Po 2. Drücken Sie nicht auf den Rücken und vor allem nicht auf die Wirbelsäule – sie ist noch sehr druckempfindlich!

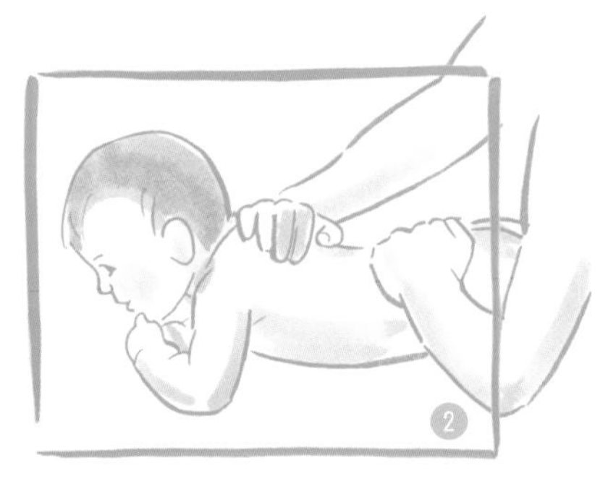

→ Streichen Sie anschließend sanft den Rücken in Längsrichtung vom Nacken zum Po aus 3.

→ Wiederholen Sie die sanfte Bauchmassage und das Streichen über den Rücken Ihres Babys noch einmal.

→ Drehen Sie Ihr Kind wieder auf den Rücken. Umfassen Sie mit einer Hand einen OBERARM und ziehen Sie Ihre Hand langsam den Babyarm zur Hand des Babys hin 4. Bevor Sie den

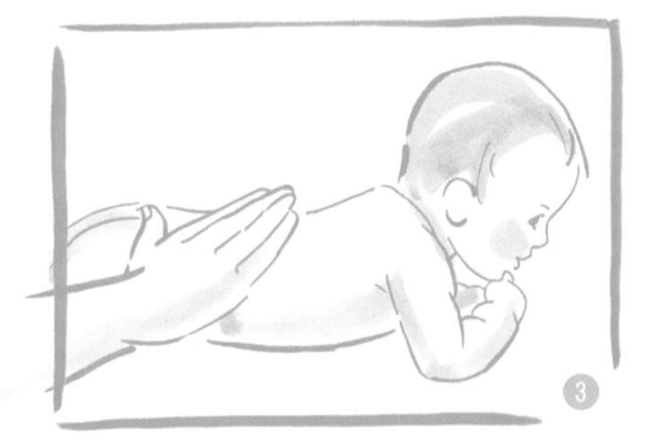

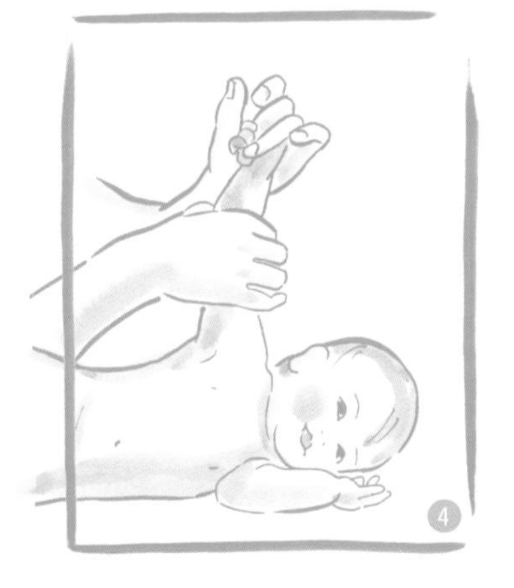

Kontakt zu seiner Hand verlieren, umfassen Sie mit Ihrer anderen Hand wieder seinen Oberarm und ziehen Sie gleichermaßen zur Babyhand hin. Wiederholen Sie dies, so oft es Ihnen und Ihrem Kind passt. Achten Sie darauf, dass Sie beide Arme gleich behandeln!

→ Wenden Sie die gleiche Technik auf die BEINE Ihres Babys an. Auch dies, so oft es Ihnen beiden passt. Fertig! Lassen Sie diese VERTRAULICHE ATMOSPHÄRE für sich und Ihr Baby so sanft und ruhig wie möglich ausklingen. Wenn Sie auf den Geschmack gekommen sind, besuchen Sie doch einen Babymassagekurs!

Vorsingen – mitsingen ...

Ihr Kind will Ihre Stimme hören! Sie können ihm ihren gesammelten Schatz an deutschem Liedgut darbieten. Ob Heino, Rossini-Arien oder Grönemeyer – Kinder lieben Musik und Ihr Kind liebt Ihre Stimme. Sie müssen kein Opern-Star sein – was zählt, sind Sie, Ihre Stimme, der Rhythmus und der SPASS. Notfalls können Sie statt selber zu singen auch mal Musik aus der Konserve anstellen – wobei Techno viel weniger geeignet ist als Mozart oder Bach.

> Ich singe immer als Einschlafritual und manchmal auch beim Spazierengehen. Mittlerweile fordert mich meine Tochter dazu auf, wenn ich es vergesse. Das klingt dann ungefähr so: »Pa-pa–la-lalla – he-jo!«
>
> [Olaf, 38 | *2 Kinder*]

Nehmen Sie Ihr Kind auf den Arm und tanzen Sie zur Musik. Buchtipps und Internetadressen zu Liedern, Gedichten, Reimen und Abzählversen finden Sie im Anhang (→ Seite 173).

Noch mehr schöne Spiele für das erste Lebensjahr

MIT DREI BIS VIER MONATEN können sich Kinder für einige Minuten gut auf einzelne Beschäftigungen und Spiele konzentrieren. Regen Sie Ihr Kind zum Spielen an und spielen Sie mit ihm. Das geht ganz einfach. Spiele entstehen häufig ganz von selbst.

→ **AB DEM SIEBTEN BIS ACHTEN LEBENSMONAT** lieben Kinder »Bububu-Kuckuck-Spiele«. Legen Sie abwechselnd Ihrem Kind und sich selbst ein luftdurchlässiges Tuch über das Gesicht und ziehen Sie es ruckartig wieder weg – Ihr Kind wird vor Vergnügen quietschen!

→ Spätestens **MIT ETWA NEUN MONATEN**, wenn Ihr Kind anfängt zu krabbeln, wird es dabei Regal- und Schubladeninhalte entdecken und sie fleißig ausräumen. Unter Ihrer sorgsamen Aufsicht und Beteiligung kann Ihr Kind CDs, Bücher und sonstige Dinge ausräumen, begutachten und vielleicht auch wieder einräumen. Noch besser ist es, wenn Sie jetzt schon eine Kiste mit großen Bauklötzen haben.

→ Sie können mit Ihrem Kind auch um die Wette krabbeln, es auf Ihrem Schoß reiten oder (erst ab etwa sechs Monaten –) hüpfen lassen, Hoppe-hoppe-Reiter spielen… Der Phantasie sind keine Grenzen gesetzt – achten Sie aber immer darauf, dass Sie Ihr Kind nicht überfordern und dass Sie es keinen Gefahren aussetzen.

TIPP

Darauf sollten Sie achten

→ Beim Hopsen, Spielen und Toben darf es gerne auch mal etwas wilder zugehen. Aber: Ihr Kind braucht auch Ruhe und Entspannung, um seine vielen Erlebnisse zu verarbeiten. Vor dem Schlafen sollte es deshalb noch Zeit haben, sich zu beruhigen. Achten Sie auf Ihr Kind und Sie erkennen, wann es Ruhe braucht.

→ Lassen Sie es niemals allein mit kleinen Gegenständen spielen, die es verschlucken könnte, zum Beispiel Knöpfe oder Murmeln. Auch für kleine Legosteine ist es noch viel zu früh.

→ Räumen Sie Ihre Wohnung und Schränke rechtzeitig so um, dass gefährliche Dinge von Ihrem neugierigen, krabbelnden Kind nicht erreicht werden.

→ Besorgen und installieren Sie rechtzeitig Schranktürblockierer und Kindersicherungen für Steckdosen. In Baby- und Baumärkten finden Sie passende Sets. Wenn Sie in einem Haus wohnen, sichern Sie die Treppen mit Treppengittern!

Wie auf einem anderen Stern: Väter in Eltern-Kind-Gruppen

Eltern-Kind-Gruppen bieten Ihrem Kind Kontakt zu Gleichaltrigen, Anregungen und **FÖRDERMÖGLICHKEITEN** und Ihnen den Austausch mit anderen Vätern und Müttern. Angebote gibt es flächendeckend. Krabbelgruppen, Spielgruppen, Babymassagekurse, Babyschwimmen und vieles mehr finden Sie im Angebot von Familienbildungsstätten, Mütterzentren und manchen Kliniken.

Da wäre sicher auch etwas für Sie und Ihr Kind dabei – wenn nicht die väterunfreundlichen Zeiten der Angebote wären! Fast alle Gruppen für Eltern mit Kindern im ersten Lebensjahr treffen sich unter der Woche vor- oder nachmittags. Was können Sie tun?

→ Wenn Sie Vollzeit-Erwerbstätig sind, schauen Sie sich nach Angeboten um, die am **WOCHENENDE** stattfinden.

→ Sind Sie selbständig oder freiberuflich tätig, versuchen Sie, Ihren Arbeitsalltag umzustrukturieren. Vielleicht können Sie es einrichten, sich etwa an einem Tag in der Woche vormittags zwei Stunden aus Ihrer Arbeit »auszuklinken«.

Wenn Väter dann doch einmal Zeit finden, das Angebot einer Eltern-Kind-Gruppe wahrzunehmen, machen sie eine weitere Erfahrung: Sie sind meistens der einzige Vater in einer Runde von Müttern. Das muss kein Problem sein: Manche Väter fühlen sich »allein unter Frauen« durchaus wohl. Zu Recht, denn häufig werden sie sehr geschätzt, da sie **NEUE ASPEKTE UND SICHTWEISEN** in die Gruppe bringen.

Andererseits berichten Väter immer wieder, dass sie sich von den Müttern beobachtet und manchmal auch bevormundet fühlen, was ihren Umgang mit ihrem Kind angeht. Wenn es Ihnen auch so geht, sprechen Sie Ihr Unwohlsein zunächst bei der Kursleiterin an. Lehnen Sie ungebetene Ratschläge von Müttern dankend ab, und sagen Sie, dass Sie gerne auf das Angebot zurückkommen, wenn Sie einen Rat brauchen.

Angebote nur für Väter und Kinder

Wenn die klassischen Mutter-Kind-Angebote für Sie nicht in Frage kommen, machen Sie sich auf die Suche nach Vater-Kind-Angeboten. Wenn Sie nichts Geeignetes finden, dann:

→ Wenden Sie sich an eine Familienbildungsstätte oder Volkshochschule in Ihrem Wohnort. Regen Sie Kurse für Väter an!

Vielleicht rennen Sie dabei offene Türen ein. Eventuell werden Sie gleich gefragt, ob Sie selbst welche gestalten möchten.

→ Beraten Sie gemeinsam mit den Mitarbeiterinnen der Einrichtung, wo Sie Kursleiter finden können, welche Angebotszeiten sinnvoll sind und welche Art von Gruppe Sie sich wünschen.

→ Vielleicht können Sie auch gemeinsam kreativ werden, wenn es darum geht, bei Vätern für den Kurs zu werben. Hängen Sie zum Beispiel Zettel an den Bäumen auf Spielplätzen auf: »Vater-Kind-Spielgruppe in der Familienbildungsstätte XY, in der Volkshochschule oder in Eigenregie, wer macht mit?«

→ Rufen Sie die Väter aus Ihrem Geburtsvorbereitungskurs an, und motivieren Sie sie, an einer Vater-Kind-Gruppe teilzunehmen oder sich »einfach so« zu treffen und gemeinsame **AKTIVITÄTEN** zu planen.

Viele Väter warten nur darauf, dass jemand den Anfang macht. Sie suchen genau danach: Väter treffen Väter, um gemeinsam etwas mit Kindern unternehmen zu können, um **KONTAKT ZU PFLEGEN** und zu knüpfen, um Erfahrungen auszutauschen. Also, worauf warten Sie?

» Wege entstehen dadurch, dass man sie geht. «

[Franz Kafka | *deutscher Schriftsteller (1883–1924)*]

6 Eltern werden, Paar bleiben

→ In den ersten Wochen und Monaten wird Ihr Kind Sie sehr beanspruchen. Es kann gut sein, dass die Zeit, die Sie früher als Paar für Gespräche, Nähe und Liebe hatten, in scheinbar weite Ferne rückt.
In diesem Kapitel finden Sie Anregungen, die Ihnen helfen, sich trotz aller Herausforderungen als Eltern auch als Paar im Blick zu behalten.

Landung im Familienalltag

Wenn sich nach der Geburt langsam der Familienalltag einstellt, merken viele frisch gebackene Eltern, dass ihnen für sich selbst und als Paar nur noch wenig Zeit bleibt.

Bei Ihnen ist das nicht so? Umso besser! Vielleicht hatten Sie das Glück, ein sehr pflegeleichtes Kind zu bekommen, das viel schläft und Ihnen so ausreichend Zeit lässt, den Alltag zu meistern. Oder Sie haben GUTE UNTERSTÜTZUNG durch die Großeltern, andere Verwandte oder Freunde. Nichtsdestotrotz werden sich auch in Ihrem Beziehungsleben EINIGE VERÄNDERUNGEN ergeben.

24 Stunden Aufmerksamkeit

Gerade im ersten Lebensjahr braucht ein Kind sehr VIEL AUFMERKSAMKEIT und das zum Teil rund um die Uhr.

Je nachdem, wie das Temperament Ihres Kindes ist, ob es einen guten oder schwierigen Start ins Leben hatte, ob es viel oder wenig weint, ob es krank oder gesund ist, werden Sie als Eltern unterschiedlich stark beansprucht.

Viele Eltern haben das Gefühl, den Alltag kaum noch bewältigen zu können – ein Eindruck, der längere Zeit anhalten kann, denn auch mit der Geburt Ihres Kindes bleibt es dabei: Ein Tag hat 24 Stunden. Deshalb gehört es zu den schwierigsten Aufgaben junger Eltern, ihre bisherigen Verpflichtungen und die Versorgung ihres Kindes zeitlich, emotional und körperlich in Einklang zu bringen. Dabei bleibt es nicht aus, dass der ein oder andere wichtige und lieb gewonnene Bereich zeitweilig zu kurz kommt. Zu diesen Bereichen gehört leider sehr oft die Paarbeziehung, die Basis der Familie.

Von der Mitte an den Rand

Wenn aus Paaren Eltern werden, nehmen sie ihr Kind in ihrer Mitte auf. So entsteht also mit der Geburt ein **NEUES BEZIEHUNGSGEFLECHT**. Das ideale Bild dieses Dreiergespanns ist das eines Dreiecks: Alle können sich sehen und haben Kontakt zueinander. In der ersten Zeit mit Kind sieht das aber oft anders aus. Häufig entwickeln Mütter eine engere Beziehung zum Kind als Väter, da diese meist außer Haus für ihre Familie arbeiten und so zwangsläufig weniger Zeit mit dem Baby verbringen können. In diesem Fall ist es kein Wunder, dass manchmal leise Eifersucht aufkommt, denn schließlich ist jetzt das Kind in die Mitte der früheren Zweisamkeit gerückt.

Selbst wenn der Mann sich nicht beiseite gedrängt fühlt, müssen sich beide Partner erst daran gewöhnen, dass sie die Zeit, die sie vor der Geburt ausschließlich für sich als Paar hatten, nun fast vollständig mit Ihrem Kind teilen müssen. Eine Zeit lang funktioniert das recht gut – die Freude über das Baby ist sehr groß und kann vieles ausgleichen.

Doch viele Paare kommen mit dieser Umstellung nicht so leicht zurecht. Gemeinsame Aktivitäten wie Kino-, Konzert-, Saunabesuche, Kneipenabende mit Freundinnen und Freunden sind in den ersten Monaten mit Kind kaum möglich.

Außerdem schlafen sie weniger, reden weniger miteinander, haben seltener Sex, verlieren den inneren Kontakt zueinander, streiten sich häufiger. Die Folge: Viele Paare trennen sich in den ersten Jahren nach der Geburt des ersten oder zweiten Kindes.

Kurz: **DIE PAARBEZIEHUNG LEIDET** bei vielen gestressten jungen Eltern. Sie haben das Gefühl: »Nur uns geht es so«; »Nur wir haben kaum noch Zeit füreinander und streiten uns dauernd« »Anderen geht es viel besser als uns«. DAS STIMMT NICHT!

Studien über Paare im Übergang zur Elternschaft belegen, mit wie viel Stress und Unzufriedenheit die Familiengründungsphase häufig einhergeht. Das Kommunikationsverhalten, der Austausch von Zärtlichkeiten, das Streitverhalten und die Beziehungszufriedenheit junger Eltern verändern sich dramatisch zum Negativen.

So gaben Väter und Mütter, die in einer Untersuchung[4] über einen Zeitraum vom letzten Schwangerschaftsdrittel bis zum 34. Lebensmonat ihres Kindes begleitet wurden, an,

- sich deutlich häufiger zu streiten,
- seltener und weniger intensiv miteinander zu kommunizieren,
- viel weniger körperliche Zärtlichkeiten auszutauschen (wobei die Tendenz dahin ging, dass Männer ihre Partnerin als »lustlos« und die Frauen ihren Partner als »drängend« beschrieben) und
- deutlich unzufriedener mit dem Partner/der Partnerin zu sein (wobei die Unzufriedenheit der Frauen 34 Monate nach der Geburt deutlich höher lag als die der Männer).

Wenn Sie den Eindruck haben, dass andere Eltern es leichter haben: Fragen Sie diese, wie sie ihren Alltag gestalten. Oft steht hinter entspannten jungen Eltern ein GUTES UNTERSTÜTZUNGSSYSTEM aus Großeltern, anderen Verwandten und Freunden. Lassen Sie sich ganz ohne Neid und Konkurrenzdenken ein paar Tipps geben, wie Sie sich ein ähnliches Netzwerk aufbauen könnten.

6

»Wir sind geboren, um gemeinsam zu leben. Und unsere Gemeinschaft ähnelt einem Gewölbe, in dem die Steine einander am Fallen hindern.«

[Lucius Annaeus Seneca | *römischer Dichter (4 v. Chr. – 65 n. Chr.)*]

Wartung und Pflege der Paarbeziehung

Viele Paare leben sich also nach der Geburt des ersten oder des zweiten Kindes mehr oder weniger stark auseinander. Ihre Beziehung leidet unter den VERÄNDERUNGEN, die das Elternsein mit sich bringt.

Damit Sie und Ihre Partnerin an der Herausforderung, Eltern zu sein, auch als Paar wachsen und Ihre Beziehung nicht ernsthafte Schäden erleidet, ist es wichtig, dass Sie etwas für sich tun!

Wie Sie aktiv dafür sorgen können, ein PAAR ZU BLEIBEN, erfahren Sie auf den nächsten Seiten.

Gegenseitige Anerkennung und Wertschätzung geben

Lob und Anerkennung machen Menschen glücklich. POSITIVES FEEDBACK motiviert für neue Taten und große Aufgaben. Diese Erkenntnis hat sich mittlerweile in der Aus- und Weiterbildung für Führungskräfte durchgesetzt.

Im privaten Leben sind Anerkennung und positive Rückmeldungen mindestens ebenso wichtig. Der amerikanische Psychologe John Gottman[5] hat herausgefunden, dass die Pflege der Zuneigung, Bewunderung und Wertschätzung füreinander eine der wichtigsten Grundlagen für eine stabile und vor allem befriedigende Beziehung ist.

Gerade in der neuen Rolle als Vater oder Mutter, die am Anfang oft Unsicherheiten mit sich bringt, ist es wichtig, den Blick auf das zu richten, was Sie gut machen. Väter wie Mütter fragen sich immer wieder:

- Bin ich ein guter Vater/eine gute Mutter?
- Bin ich ein guter Partner/eine gute Partnerin?
- Bin ich ein attraktiver Mann/eine attraktive Frau?«

Beide Partner wünschen sich nichts sehnlicher als positives Feedback. Gerade im anstrengenden Alltag kommen aufbauende Rückmeldungen füreinander aber häufig zu kurz. Die schönen Momente, die kleinen Freuden, die Sie einander zu verdanken haben, geraten allzu schnell in Vergessenheit. Deshalb es ist besonders wichtig, dass Sie sich gegenseitig Ihre WERTSCHÄTZUNG vermitteln. Seien Sie dabei konkret! Äußern Sie Ihre Anerkennung genau in jenem Moment, in dem Sie die Freude empfinden. Und suchen Sie im Alltag nach Gelegenheiten, sich kleine Komplimente zu machen!

TIPP

Mit Worten schmusen

Nehmen Sie sich eine Stunde gemeinsam Zeit. Schaffen Sie eine gemütliche Atmosphäre, zum Beispiel mit Kerzenlicht und ruhiger Musik. Nehmen Sie sich jeweils drei Blätter oder Karteikarten, und schreiben Sie auf, was Sie an Ihrer Partnerin schätzen und Ihre Partnerin, was Sie an Ihnen schätzt.

Berücksichtigen Sie dabei drei Bereiche: »Was schätze, liebe, mag ich an dir als ...

- Mann/Frau.« (Blatt/Karte 1)
- Partner/Partnerin.« (Blatt/Karte 2)
- Vater/Mutter.« (Blatt/Karte 3)

Schreiben Sie alles auf, was Ihnen einfällt. Nichts Schönes ist belanglos! Es kann für Ihre Partnerin ganz wichtig sein, dass Sie es einmal aussprechen. Wenn Ihnen die Übung gefällt, machen Sie sie in regelmäßigen Abständen oder immer dann, wenn Ihnen danach ist – sie kann jedes Mal neue, schöne Aspekte Ihrer Partnerschaft beleuchten.

6

Es mag lächerlich klingen, aber Wertschätzung fängt im Kleinen an: »Oh, das ist ja mein Lieblingsjoghurt! Schön, dass du daran gedacht hast, ihn mitzubringen.« – »Super, dass du mich überredet hast, das Babytragetuch auszuprobieren. Es macht total Spaß, den Kleinen damit herumzutragen.« – »Also diese Bluse steht dir ausgezeichnet.«

Wenn Ihnen das aus dem Stand schwer fällt, dann machen Sie eine **KURZE ÜBUNG**: Wenn Sie fünf ruhige Minuten haben, etwa nachdem Sie sich abends hingelegt haben, lassen Sie den Tag kurz Revue passieren.

- Halten Sie die Momente fest, in denen Sie sich wirklich gefreut haben.
- Konzentrieren Sie sich noch einmal kurz auf diese Momente der Freude und vergegenwärtigen Sie sich diejenigen Personen, die Auslöser dieser Freuden waren. Schon morgen werden Sie solche Momente bewusster wahrnehmen, sich merken und Ihre Wertschätzung leichter ausdrücken können.
- Geben Sie Ihrer Partnerin immer wieder **ANERKENNUNG**. Achten Sie dabei aber darauf, dass Sie authentisch bleiben und nur das sagen, was Sie wirklich meinen. Nur so wirkt Ihre Wertschätzung.

Partnerschaftlich miteinander reden und streiten

Sich gegenseitig wertzuschätzen ist eine wichtige Basis, um im Gespräch zu bleiben und partnerschaftlich miteinander umzugehen. Wenn Sie es aus Ihrer Paarbeziehung noch nicht kennen sollten: Als Eltern werden Sie erleben, dass **STREIT MANCHMAL UNVERMEIDLICH** ist. Damit er nicht zum verletzenden Schlagabtausch wird, ist es gut, sich auf bestimmte **REGELN ZU EINIGEN** und sich auch in schwierigen Situationen zu bemühen, diese einzuhalten. Auf Seite 144/145 haben wir für Sie das »2 × 5 der partnerschaftlichen Kommunikation« zusammengestellt.

Feste Zeiten für die Partnerschaft

Es ist schon verrückt: In einer Zeit, in der sich so viel ändert, wird die Zeit für Gespräche über das Neue immer weniger!

Um diesem Neuen und der Liebe als Paar Raum zu geben, hat sich bei vielen Paaren bewährt, sich **FESTE ZEITEN FÜREINANDER** freizuhalten. Vereinbaren Sie einen bestimmten Termin in der Woche. Zum Beispiel einen regelmäßigen Spaziergang am Sonntagnachmittag mit Kind, wenn es normalerweise im Wagen schläft. Oder einen Abend, an dem ein Babysitter auf Ihr Kind aufpasst: Sie können Essen gehen, um in anderer Umgebung Zeit miteinander zu haben.

Es ist für Sie beide gut zu wissen, dass Sie an einem festen Termin besprechen können, was Ihnen auf der Seele liegt. Schreiben Sie das, worüber Sie reden wollen, vorher auf. So geht es bis zu Ihrem »Date« nicht verloren. Beginnen Sie mit diesen **REGELMÄSSIGEN GESPRÄCHEN** am besten bereits vor der Geburt Ihres Kindes. So können Sie die richtigen Zeiten, Abstände und den passenden Rahmen für sich suchen – auch die Schwangerschaft bietet ja schon genügend Gesprächsstoff.

→ Verabreden Sie Rituale für einen klaren Anfang und ein eindeutiges Ende Ihrer Paargespräche. Berichten Sie sich zum Beispiel zu Beginn gegenseitig kurz, wie es Ihnen geht, worum Ihre Gedanken kreisen. Achten Sie dabei bewusst auf die positiven Dinge in Ihrem Leben.

→ Blicken Sie gemeinsam kurz zurück auf die Zeit vom letzten gemeinsamen Gespräch bis jetzt: »Was war gut, was hätte besser sein können?«

→ Prüfen Sie zum Ende Ihres Gesprächs, ob Unstimmigkeiten geklärt sind. Schauen Sie sich in die Augen, und lassen Sie sich einen Satz wie »Zwischen Dir und mir ist alles in Ordnung!« durch den Kopf gehen. Stimmt das? Oder gibt es noch etwas zu klären?

→ Beenden Sie Ihr Gespräch damit, einander zu sagen, was Sie am anderen mögen, machen Sie einander **KOMPLIMENTE** und tanken Sie sich auf diese Weise gegenseitig auf.

Das kleine 2 × 5 der partnerschaftlichen Kommunikation

Fünf Regeln zum Sprechen:

1. Reden Sie von sich!

Sagen Sie, was Sie sich wünschen, statt sich gegenseitig zu beschuldigen. Benutzen Sie das »Ich«, nicht das oft anklagende »Du«. Sagen Sie: »Ich ärgere mich, weil es keine Haferflocken gibt«, statt: »Du hast die Haferflocken vergessen! Du weißt doch, dass ich Müsli frühstücken will.«

2. Seien Sie offen und ehrlich!

Zeigen Sie sich, wie Sie sind – mit Ihren Stärken und Schwächen. Taktieren Sie nicht. Mit ehrlichen Menschen lebt es sich besser – das merken ganz besonders Kinder. »Ach Mist! Ich habe die Haferflocken vergessen. Entschuldige bitte.« statt: »Ähm, die Haferflocken waren ausverkauft.«

3. Konkreter Anlass, keine Verallgemeinerungen!

Bleiben Sie bei konkreten Situationen. Ein »immer« oder »schon wieder« löst meist Ablehnung aus und lenkt von dem ab, worum es Ihnen gerade geht. Vermeiden Sie also Aussagen wie: »Immer vergisst du die Dinge, die mir wichtig sind!«

4. Keine alten Geschichten!

Bleiben Sie bei aktuellen Ereignissen. Das Auftischen gesammelter Enttäuschungen steigert das Unwohlsein und lenkt vom eigentlichen Thema ab. »Letzte Woche hast du auch schon die Rosinen vergessen ...«

5. Verhalten ist nicht gleich Eigenschaft

Aussagen wie »typisch ...«! schreiben negative Eigenschaften zu und lassen keinen Raum zur Veränderung. Bleiben Sie bei einem konkreten Verhalten. Die »Umwandlung« in Eigenschaften ist sehr verletzend und ruft Widerspruch hervor.

Fünf Regeln zum Zuhören:

1. Hören Sie aufmerksam zu

Unterbrechen Sie sich nicht gegenseitig. Zeigen Sie durch Nachfragen Interesse. Fällt Ihnen das schwer, vereinbaren Sie Sprechzeiten von maximal drei Minuten, in denen jeweils eine/r redet und der/die andere zuhört.

2. Sagen Sie es in Ihren Worten

Wiederholen Sie das, was Sie gehört haben, kurz in eigenen Worten. So vermeiden Sie Missverständnisse. Wenn Ihr Gegenüber für Sie nicht auf den Punkt kommt, fragen Sie nach. Vermeiden Sie Urteile oder Bewertungen!

3. Probleme wollen gehört werden

Werden Probleme geäußert, versuchen Sie nicht, sie wegzureden oder Ihre eigenen dagegenzuhalten. Es wird auch nicht immer eine Lösung von Ihnen erwartet. Allein ein offenes Ohr kann schon viel zu einer Klärung beitragen.

4. Gegenseitige Wertschätzung und gemeinsame Lösungen

Loben Sie einander für Ihre Offenheit! Auch Ärger ist ein wichtiges Gefühl, durch das Sie viel voneinander lernen können. Insbesondere dann, wenn Ihnen nicht klar war, dass Ihr Verhalten oder das Vergessen der Haferflocken Ihre Partnerin so ärgert, ist es gut, das zu sagen: »Tut mir leid, ich hab nicht dran gedacht. Gut, dass ich jetzt weiß, wie wichtig dir die Haferflocken sind. Lass uns doch in Zukunft versuchen, gemeinsam daran zu denken...« So ein wohlwollender Umgang hilft Eskalationen zu vermeiden und gemeinsam Lösungen zu finden.

5. Bleiben Sie bei der Sache

Wenn Sie etwas ablenkt, sagen Sie es möglichst sofort! Wenn Sie nicht richtig zuhören können, sind Sie unaufmerksam. Sie können Wichtiges verpassen und Ihr Gegenüber kann sich missachtet fühlen. Bitten Sie um eine Pause und beseitigen Sie die Störung.

Aufgaben- und Zeitverteilung

Vertrauen und gemeinsame Regeln sind eine wichtige Grundlage, um die neue Aufgaben- und Zeitverteilung gut klären zu können.

Wie Sie Ihre Aufgaben und Zeiten verteilen, hat großen EINFLUSS AUF IHRE PARTNERSCHAFT. Wenn Sie häufig das Gefühl haben, dass Ihre Partnerin mehr Zeit für sich, für die Kinder, Ihre Freundinnen oder Ihren Beruf hat als Sie, werden Sie auf Dauer unzufrieden mit sich und Ihrer Beziehung. Für Ihre Partnerin gilt umgekehrt natürlich das Gleiche.

Kinder als Gleichstellungsrisiko?

Viele kinderlose Paare haben heute eine weitgehend GLEICHBERECHTIGTE AUFGABENVERTEILUNG, was Haus- und Erwerbsarbeit angeht. Mit der Geburt des ersten Kindes ändert sich das nach wie vor bei den meisten Eltern. Vielfältige Rahmenbedingungen, wie ein ungleiches Lohnniveau zwischen Frauen und Männern, und der hartnäckige Glaube daran, dass Männer dazu geboren sind, die Familie zu ernähren, und Frauen dazu, die Kinder zu erziehen, sorgen immer noch dafür, dass in den meisten jungen Familien überwiegend die Mütter den Haushalt und die Kindererziehung übernehmen und die Väter der Erwerbsarbeit nachgehen. Mit der Einführung des Elterngeldes in Deutschland ist jedoch der Anteil von Vätern, die Elternzeit[6] nehmen, deutlich angestiegen.

Gute Planung ist (fast) alles!

Bei vielen Müttern und Vätern führt diese starre Verteilung zu UNZUFRIEDENHEITEN: Mütter wollen ihr berufliches Engagement weiterverfolgen, und Väter wollen ihre Kinder nicht nur beim Aufwachen, ins-Bett-Gehen und am Wochenende erleben. Wie sich auch für Väter Elternzeit realisieren lässt und was Sie, Ihre Partnerin,

Ihre Kinder und Ihre Paarbeziehung dabei gewinnen können, erfahren Sie ab Seite 159.

Doch egal, für welche Aufgabenverteilung Sie sich entscheiden: Es ist wichtig, dass Sie die Zeit als Familie **BEWUSST PLANEN** und keine Modelle übernehmen, die Ihnen nicht entsprechen. Ihr Alltag war bisher sicherlich auch ohne Kinder gut ausgefüllt. Mit der Geburt eines Kindes erweitert sich das Spektrum der täglichen Aufgaben für Eltern ganz enorm. Nun heißt es umverteilen und in anderen Aufgabenbereichen zu kürzen, damit Sie und Ihre Partnerin ausreichend Zeit finden für Ihr Kind. Um den Eltern-Alltag bewusst planen zu können und darauf zu achten, dass alle Familienmitglieder mit der größtmöglichen **ZUFRIEDENHEIT** in den neuen Lebensabschnitt gehen, haben wir die Übung auf der nächsten Seite für Sie entworfen.

Nutzen Sie möglichst die Zeit vor der Geburt für diese Planungen! Wenn Ihr Kind geboren ist, haben Sie dafür nur noch wenig Zeit.

»**Liebe** besteht nicht darin, dass man **einander anschaut**, sondern dass man **gemeinsam** in dieselbe **Richtung** blickt.«

[Antoine de Saint-Exupéry | *französischer Schriftsteller (1900–1944)*]

6

ÜBUNG

Zeitverteilung vor der Schwangerschaft und nach der Geburt

1. Schritt: Vor der Schwangerschaft

Kopieren Sie die Tabelle auf Seite 170 zweimal. Tragen Sie und Ihre Partnerin, jeweils getrennt voneinander, die Stunden pro Arbeitstag (ohne Wochenenden) in die erste Zeitspalte ein, die Sie für die jeweiligen Tätigkeitsbereiche vor der Schwangerschaft aufgewendet haben. Wenn Sie bestimmte Tätigkeiten nicht täglich ausführen, schätzen Sie, wie viel Zeit sie auf einen Tag heruntergerechnet ausmachen würden.

Ordnen Sie jedem Bereich eine Farbe zu. Kopieren Sie die Seite mit den Tortendiagrammen auf Seite 171 dreimal und legen Sie eine Kopie erstmal zur Seite. Jedes Diagramm hat 24 Stücke – eins für jede Stunde des Tages. Tragen Sie nun in eine der Kopien die Zeiteinheiten aus der Tabelle gemäß der oberen Beschriftung »A« im linken Tortendiagramm ein. So erhalten Sie einen grafischen Überblick über Ihre Zeitverwendung vor der Schwangerschaft.

2. Schritt: Nach der Geburt

Tragen Sie nun in die zweite Zeitspalte der Tabelle ein, wie Sie sich wünschen, Ihre Zeit als Vater, ab etwa zehn Wochen nach der Geburt, aufzuteilen. Es geht hier ausdrücklich um Ihre Wünsche und Vorstellungen – die Anpassung an die Realität kommt früh genug! Ordnen Sie die gleichen Farben wie in Zeitspalte eins zu, und tragen Sie die Zeiten wieder als farbige Tortenstücke gemäß der Beschriftung »A« in die rechte Torte des Arbeitsblattes für die Zeit nach der Geburt ein.

Versuchen Sie nicht, akribisch nach Minuten zu rechnen, sondern machen Sie die Zuordnung spontan. Was zählt, ist Ihr Eindruck. Erklären Sie Ihrer Partnerin die Übung. Geben Sie Ihr eine Kopie der Tabelle und eine Kopie der Seite mit den Tortendiagrammen. Wenn sie die Übung ebenfalls macht, haben Sie eine gute Grundlage für Ihre gemeinsame Zeit- und Aufgabenplanung. Machen Sie Ihre Zeiteinteilung jedoch zunächst getrennt voneinander, um zu vermeiden, dass Sie sich gegenseitig korrigieren. Achten Sie dabei beide besonders darauf, was Ihnen in Ihrem bisherigen (kinderlosen) Leben besonders wichtig für Ihre ganz persönliche Zufriedenheit und Ausgeglichenheit war (zum Beispiel Sport, Treffen mit Freunden).

3. Schritt: Passt alles zusammen?

Wenn Sie beide Ihre Diagramme fertig haben, setzen Sie sich zusammen und betrachten Sie Ihre Planungen für die Zeit mit Kind unter folgenden Gesichtspunkten:

- Ist die Versorgung unseres Kindes zeitlich gewährleistet?
- Wie wollen wir die Familien- und Erwerbsarbeit aufteilen?
- Haben wir Zeit für uns als Paar eingeplant?
- Haben wir an individuelle Freizeit und Erholung gedacht?
- Wie zufrieden sind wir jeweils mit der Aufteilung?
- Wo können wir nachbessern? Wo ist zeitliche »Manövriermasse«?

Wenn Sie nur den leisesten Verdacht haben, dass an einer Stelle etwas nicht stimmt, planen Sie gemeinsam neu. Nutzen Sie hierfür die dritte Kopie der Diagramme, und tragen Sie gemäß Beschriftung »B« Ihren Namen über das linke und den Ihrer Partnerin über das rechte Diagramm ein und legen Sie zusammen los. Bedenken Sie, dass das Produkt, das Sie am Ende in der Hand halten, ein Abbild Ihrer Wünsche ist. Die Realität im Alltag mit Kind sieht oft ganz anders aus. Dennoch ist es gut, wenn Sie sich bewusst machen, was Ihnen bereits jetzt für Ihre Elternschaft wichtig ist. In Situationen, in denen Sie das Gefühl haben, »Das habe ich mir aber alles ganz anders vorgestellt!«, können Sie Ihre Planungen noch einmal zur Hand nehmen und gemeinsam überprüfen, wie Sie Ihren Wünschen ein Stück näher kommen können.

Zeit für Zweisamkeit

Viele junge Eltern klagen darüber, dass sie kaum noch Zeit für sich haben. Mit der ÜBUNG ZUR AUFGABEN- UND ZEITVERTEILUNG haben Sie bereits eine wichtige Grundlage geschaffen, dem entgegenzuwirken. Wenn Sie das Gefühl haben, im Elternsein aufzugehen und gemeinsame Freizeit als Paar für Sie zum Fremdwort geworden ist, suchen Sie beide nach Lösungen, wie Sie wieder zu MEHR ZWEISAMKEIT kommen können.

Zeit für Zweisamkeit schaffen

1. → **Gewöhnen Sie Ihr Kind frühzeitig an weitere konstante Bezugspersonen, die Sie ab und zu »vertreten«.**
2. → **Suchen Sie Eltern mit etwa gleich alten Kindern in Ihrer Nähe, um mit Ihnen abwechselnd auf die Kinder aufzupassen.**
3. → **Richten Sie sich einen festen Paarabend in der Woche ein, der frei bleibt von Hausarbeit.**
4. → **Nutzen Sie hin und wieder einen Pizzaservice, um die Zeit, die Sie fürs Kochen sparen, in Ihre Beziehung zu investieren.**
5. → **Richten Sie sich ein Paarzimmer ein, das zur babysachenfreien Zone erklärt wird.**

Sexualität
nach der Geburt

Jede Schwangerschaft und jede Geburt können die Sexualität stark verändern, bei Frauen und bei Männern. War Ihre Partnerin vor der Schwangerschaft eher zurückhaltend, kann sie nach der Geburt vor LUST SPRÜHEN – und umgekehrt!

Wichtig ist, dass Sie sich gemeinsam auf Ihre neue Situation einlassen. Sich frustriert oder überrumpelt zurückziehen hilft nicht. OFFENHEIT, Verständnis und EXPERIMENTIERFREUDE sind angesagt.

Ursachen für Veränderungen

Manche Frauen fühlen sich bereits in der Schwangerschaft und besonders viele nach der Geburt in ihrem veränderten Körper unwohl. Aber auch an der sexuellen Lust von Männern gehen Schwangerschaft und Geburt oft nicht spurlos vorüber.

Körperliche Umstellungen

Viele Frauen, die geboren haben, leiden noch Wochen und Monate unter den Folgen von Rissen oder Schnitten im Bereich von Scheide, Damm und Anus oder nach einem Kaiserschnitt.

Die Narben schmerzen oder das Gewebe ist noch so empfindlich, dass die betroffenen Frauen oft Angst vor Berührungen haben. Auch der »WOCHENFLUSS« lässt bei vielen Paaren wenig sexuelle Lust aufkommen. Er ist in den ersten Tagen blutig-dickflüssig, bis er sich nach etwa drei Wochen zu einem hellbraunen Ausfluss wandelt und dann versiegt. Quelle des Wochenflusses ist die Wunde in der Gebärmutter, die durch die Ablösung der Plazenta entstanden ist.

Während der Zeit der körperlichen Heilung haben viele Frauen wenig oder gar kein Verlangen nach sexuellen Aktivitäten und sind eher empfänglich für **LIEBEVOLLE SORGE UND PFLEGE**. Sollten Sie doch beide bald nach der Geburt wieder Lust auf Sex haben, brauchen Sie nicht zu fürchten, dass der Wochenfluss infektiös ist. Er besteht aus Schleim und Blut. Beides kommt direkt aus dem Körper und ist – wenn keine Krankheiten vorliegen – sauber.

Aber: Durch die Geburt hat Ihre Partnerin noch offene Wunden, feine Haarrisse im Bereich der Schamlippen und insbesondere in der Gebärmutter, an der Stelle, an der die Plazenta mit ihr verwachsen war. In diese Wunden sollten keine Keime gelangen. Deshalb seien Sie, wenn Sie in den ersten Tagen und Wochen nach der Geburt miteinander schlafen wollen, sehr gründlich mit Ihrer **KÖRPERHYGIENE**. Waschen Sie Ihren Penis gut und/oder benutzen Sie ein Kondom, damit Sie Ihre Partnerin vor Infektionen schützen.

Grundsätzlich gilt: Sobald Sie beide Lust auf Sex miteinander haben, ist auch sehr bald nach der Geburt erlaubt, was gefällt. Aber: Seien Sie behutsam miteinander und machen Sie nichts, ohne es vorher gemeinsam abzustimmen. So vermeiden Sie unangenehme Überraschungen und körperliche und seelische Verletzungen.

Erfahrungsbericht

Walter, 36, 2 Kinder:

Nach unserem ersten Kind hatten wir über eineinhalb Jahre kaum miteinander geschlafen. So lange hätte ich mir die Durststrecke nie vorgestellt! Sie hat mich lange von der Entscheidung für das zweite Kind abgehalten. Nach ihm ging aber alles viel schneller, obwohl meine Frau stärkere Verletzungen davontrug. Seither ist sie um ihren Eisprung herum kaum zu bremsen …

Neuorientierung nach der Geburt – das braucht Zeit

Viele Frauen brauchen nach der Geburt längere Zeit, um sich in ihrem KÖRPER WIEDER »ZU HAUSE« ZU FÜHLEN und ihn in seiner vielleicht veränderten Form anzunehmen und lieben zu lernen. Manche Frauen fühlen sich in den ersten Wochen und Monaten nach der Geburt dick und unattraktiv und auf die Funktion als »Versorgungseinheit« reduziert. Und wer mit sich selbst unzufrieden ist, befürchtet meist offene, verdeckte oder auch unterdrückte Kritik anderer. Viele Frauen haben daher Angst vor intimen, sexuellen Situationen, weil sie fürchten, ihrem Partner nicht mehr zu gefallen und für ihn unattraktiv zu sein.

Doch nicht nur während der Schwangerschaft und nach der Geburt sind sehr viele Frauen mit dem eigenen Körper unzufrieden. Wie oft hat Ihre Partnerin Sie schon vor der Schwangerschaft gefragt, ob Sie sie wirklich schön finden? Wie oft hat Sie Ihnen erklärt, dass sie ihren Po zu dick, ihre Haut zu schlaff, ihre Hüften zu breit, die Nase zu knollig, die Lippen zu schmal findet? Sie kennen das? Und wie haben Sie geantwortet? Sicherlich: »Nein, ich finde deinen Po gerade richtig. Ich gucke ihn immer gern an. Deine Haut ist überhaupt nicht schlaff. Sie ist straff und samtig. ICH STREICHLE SIE GERN.« Und so weiter und so fort.

Und genau so können Sie sich auch weiterhin verhalten: Sagen Sie Ihrer Partnerin immer wieder, WAS SIE AN IHR SCHÖN FINDEN. Tun Sie das spontan – dann, wenn es Ihnen auffällt! Im Übrigen verändern auch Sie sich körperlich – na klar, das haben Sie auch schon gemerkt. Die meisten Männer nehmen während der Schwangerschaft ihrer Partnerin auch zu. Kehren Sie das Spiel doch mal um: Beichten Sie Ihrer Frau, dass Sie Ihren Bauch viel zu dick finden (oder Ihren Po zu flach oder …). Lassen Sie sich von Ihrer Partnerin eines Besseren belehren oder noch besser: Akzeptieren Sie sich beide, so wie Sie sind!

Seelische Narben und schlechtes Gewissen

Wenn die Geburt anders verlaufen ist, als Sie es sich gewünscht haben, können bei Ihnen beiden seelische Narben zurückbleiben. Auch diese können es schwer machen, sich im eigenen Körper und mit der gemeinsamen Sexualität wieder zurechtzufinden.

Manche Männer, die die Geburt ihres Kindes miterlebt haben, sind erstaunt und schockiert darüber, welche Schmerzen ihre Partnerin bei der Geburt aushalten musste. Sie fühlen sich **MITVERANTWORTLICH** für die Unannehmlichkeiten, die ihre Partnerin durchstehen musste, was manchmal auch die eigene sexuelle Lust dämpft.

»Babyblues«

Psychische Veränderungen, von denen junge Mütter betroffen sein können, haben wir ab Seite 113 beschrieben.

Dass eine betroffene Frau über einen mitunter sehr langen Zeitraum wenig sexuelles Interesse zeigt, mag für ihren Partner zusätzlich hart sein. Aber durch ungeduldiges Fordern entfernen Sie sich eher von Ihrem Ziel. Versuchen Sie, auch wenn es Ihnen schwer fällt, **GEDULDIG ZU SEIN** und Verständnis für Ihre Partnerin aufzubringen. Wenn Sie das Gefühl haben, Ihrer Partnerin allein nicht mehr helfen zu können, nehmen Sie professionelle Hilfe in Anspruch.

Schlafentzug und Alltagssorgen als Lustkiller

Je nachdem, wie viel Ihr Kind nachts schläft, sind auch Sie und Ihre Partnerin unterschiedlich ausgeschlafen und ausgeruht. Werden Sie als Eltern nachts stark von Ihrem Kind gefordert, wirken sich Ihre Müdigkeit und die Ihrer Partnerin auch auf Ihre sexuelle Lust aus – wer tobt schon gerne völlig übermüdet durch die Betten?

Wenn Sie einmal zeitgleich Lust aufeinander haben, kann es passieren, dass Ihr Kind aufwacht und Ihre Aufmerksamkeit einfordert. Das kommt leider immer wieder vor, kann fürchterlich nerven, **GEHT ABER GLÜCKLICHERWEISE AUCH VORBEI.**

Und wenn die Geburt Ihres Kindes mit zusätzlichen Belastungen, wie Umzug oder beruflichen Veränderungen, zusammenfällt, wird auch dies nicht spurlos an Ihrer Sexualität vorübergehen. Falls Sie als Eltern also sexuell weniger aktiv sind als früher, dann wundern Sie sich nicht. **SIE SIND NORMAL!**

Am Ball und im Gespräch bleiben: Was Sie tun können

Wenn Sie oder Ihre Partnerin sich körperlich und sexuell vernachlässigt fühlen, überlegen Sie gemeinsam, was und wie viel an Sexualität Ihnen beiden gut tun würde.

Dabei ist es wichtig, **BEHUTSAM** miteinander umzugehen, sich weder zu drängen noch für Wünsche zu verurteilen. Versuchen Sie beide so offen wie möglich miteinander zu sein. Stellen Sie Ihr Gespräch unter das Motto: »Alle Wünsche sind okay. Das heißt aber nicht, dass ich sie befriedigen muss!«

Schaffen Sie sich deshalb regelmäßig gemeinsam Raum für Ihre Sexualität, und nehmen Sie sich Zeit, sich langsam und behutsam wieder aneinander heranzutasten.

Gemeinsame Forschungsreisen

Sehen Sie es als eine gemeinsame Herausforderung, sich und Ihre Partnerin nach der Geburt Ihres Kindes sexuell neu zu entdecken. Verbünden Sie sich zu einem Forschungsteam, das eine Expedition in ein Land unternimmt, das Sie länger nicht besucht haben.

Wenn sich Forscher auf unbekanntem Gebiet bewegen, ist es wichtig, dass sie Absprachen treffen. Um sich selbst und Ihre Partnerin zu entlasten und einen gemeinsamen Ausgangspunkt für Ihre Forschungsreise zu schaffen, sollten Sie gemeinsam klare Regeln festlegen. Regeln geben Ihnen beiden Sicherheit und machen es möglich, auch einmal die »Reißleine« zu ziehen, ohne dass die Expedition zu scheitern droht.

Regeln für den Wiedereinstieg in die gemeinsame Sexualität:

1. Körperkontakt **MUSS NICHT SEXUELL SEIN**! Eine Massage etwa braucht nicht im Koitus zu enden.
2. Es ist in Ordnung, zu jedem Zeitpunkt und ohne schlechtes Gewissen aus dem Liebesspiel auszusteigen.
3. Es tut gut, zu wissen, dass ich begehrt werde, und ich muss dafür keine Gegenleistung erbringen.
4. Ich muss mich für meine Lust oder Unlust **NICHT SCHÄMEN**. Sie ist da, sie ist okay und gemeinsam machen wir das Beste draus.
5. Überlegen Sie, was Sie darüber hinaus brauchen, um sich auf die gemeinsame Expedition einzulassen.

Lassen Sie sich und Ihrer Partnerin Zeit

Sex soll Spaß machen und keine Last sein! Die folgenden Tipps können Ihnen helfen, sich einander langsam wieder anzunähern.

- Überlegen Sie, wie Sie die Schwangerschaft und die Geburt erlebt haben und welche Ereignisse Ihre Sexualität beeinflussen;
- Seien Sie offen und spielen Sie miteinander;
- Gehen Sie neugierig, aufgeschlossen und wertschätzend auf Veränderungen in Ihrem Leben ein. Dazu gehört auch, sich vorsichtig, rücksichts- und liebevoll wieder körperlich anzunähern;
- Verabreden Sie feste Abende, die Sie Ihrer Sexualität widmen – das heißt nicht, dass Sie dann miteinander schlafen müssen;
- Gehen Sie **VORBEHALTLOS** und ohne Erwartungen an diese Abende heran. Freuen Sie sich über das, was Sie gemeinsam erleben und voneinander erfahren dürfen;
- Wenn Ihre Partnerin oder Sie mit ihrem Körper unzufrieden sind: Der »Schwangerschaftsspeck« hat dazu beigetragen, Ihrem Kind ein war-

mes und geborgenes Nest zu geben. Erinnern Sie sich und Ihre Partnerin daran – und nicht zuletzt: Auch Kinder lieben es weich.

- Geben Sie sich gegenseitig WERTSCHÄTZUNG! Auch wenn Sie sexuell unzufrieden sind – Sexualität ist nur ein Teil Ihrer Beziehung;
- Vorsicht vor Seitensprüngen und käuflicher Liebe. Wie wird Ihre Partnerin dazu stehen? Wollen Sie Geheimnisse vor ihr haben, die Ihre Beziehung belasten?
- Wenn Sie zu Hause nicht entspannen können, organisieren Sie einen Babysitter und gehen Sie in ein Hotel.
- Gehen Sie offen mit MASTURBATION um. Wie findet es Ihre Partnerin, wenn Sie Sex mit sich selbst haben? Vielleicht können Sie Selbstbefriedigung in Ihr gemeinsames Liebesspiel integrieren?
- Vielleicht hilft es ihr auch, wenn Sie sie ermutigen, ihre Sexualität erst einmal für sich allein neu zu entdecken.
- Für den Sex allein und zu zweit gibt es eine Menge Hilfsmittel und Spielzeuge. Seien Sie mutig, probieren Sie Neues aus.

Gespräche unter Männern

Wenn sich bei Ihnen nach der Geburt sexueller Frust eingestellt hat, kann auch ein Gespräch unter Männern helfen.
Sie werden überrascht sein, wie vielen es ähnlich geht! Vielleicht versuchen Sie, gemeinsam mit Freunden Lösungen zu finden.

> Sexuelle Leidenschaft schließt immer ein tiefes und verletzliches Erkennen und Erkanntwerden ein – das heißt, sexuelle Intelligenz.
>
> [Robin Morgan | *amerikanische Autorin und Journalistin*]

7 Väter zwischen Familie, Beruf und Freizeit

→ Väter wollen mehr Zeit mit ihren Kindern verbringen und mehr sein als Abend- und Wochenend-Papas. Dennoch erwirtschaften sie den Großteil des Familieneinkommens. Viele Väter fühlen sich zwischen Familie und Beruf förmlich zerrissen.
Wie Sie Arbeit, Familie und Freizeit besser unter einen Hut bekommen, erfahren Sie auf den nächsten Seiten.

Unter einem Hut: Familie und Beruf

Mehr als zwei Drittel aller Väter in Deutschland sehen sich in erster Linie als Erzieher und **GUTER BEGLEITER IHRER KINDER** – und erst in zweiter Linie als Ernährer der Familie[7]. Und dennoch sind es nach wie vor die Väter, die meist den Löwenanteil des Familieneinkommens erwirtschaften. Oft kommen sie unter der Woche erst zur Gute-Nacht-Geschichte heim oder finden ihr Kind schon schlafend vor, wenn sie endlich zu Hause sind.

Viele Väter fühlen sich zerrissen zwischen dem Wunsch, aktiver Vater zu sein, und der Notwendigkeit, durch einen möglichst erfüllenden Beruf den **LEBENSUNTERHALT** ihrer Familie zu sichern. Sie haben die Rolle des (Haupt-)Ernährers ein- und angenommen, weil sie in der Regel immer noch ein höheres Einkommen als Frauen haben. Das ist ein gesellschaftlicher Missstand, der sich nicht über Nacht aus der Welt schaffen lässt. Aber auch der Wunsch, den Beruf nicht völlig aus dem Blick zu verlieren, und die Angst, berufliche Chancen zu verpassen, sind wichtige Gründe, die Väter an der **TRADITIONELLEN ERNÄHRERROLLE** festhalten lassen. Zudem ecken Männer in Gesellschaft und Betrieb an, wenn sie sich entschließen, in Elternzeit zu gehen oder Teilzeit zu arbeiten (→ Interview Seite 162).

Letztlich muss ein Paar gemeinsam entscheiden, auf wessen Einkommen es eher verzichten kann, wenn das Kind von einem Elternteil betreut werden soll. Das Ergebnis ist üblicherweise: Die Mutter unterbricht die Erwerbstätigkeit, der Vater sichert das Familieneinkommen. Das hat in den wenigsten Fällen mit konservativen Vorstellungen von Familie zu tun. Meist ist diese Entscheidung PURER PRAGMATISMUS – aber viele Väter und Mütter leiden dennoch sehr darunter.

Vermeiden Sie »Ernährer-Fallen«

- Die »Ernährer-Falle« droht dann zuzuschnappen, wenn Sie langfristig in die traditionelle Rolle des Haupt- oder Alleinverdieners schlüpfen, ohne es wirklich zu wollen. Die Familie zu finanzieren ist eine wichtige Aufgabe. Doch wenn Sie sich dafür im Alltag so gut wie nie um Ihr Kind kümmern können, kann Dauerfrust die Folge sein.
- Gleich neben dieser »Ernährer-Falle« lauert die »Hausfrau-und-Mutter-Falle«. Die meisten Frauen sind heute gut ausgebildet. Sie haben bis zur Geburt ihres Kindes im Beruf ihre Frau gestanden und sich dabei wohl gefühlt. Mit der strikten Aufteilung »Mann – Erwerbsarbeit, Frau – Familienarbeit« verpassen nicht nur Sie etwas zu Hause. Auch Ihre Partnerin kann auf Dauer unzufrieden werden.
- Ergebnisse aus der Familienforschung belegen eindeutig: Je PARTNERSCHAFTLICHER DIE ARBEITSTEILUNG in der Familie, desto ZUFRIEDENER sind alle Beteiligten: Väter, Mütter, Kinder (→ Seite 10). Versuchen Sie deshalb, die Voraussetzungen dafür so gut wie möglich zu schaffen!
- Auch die (leidvollen) Erfahrungen vieler Scheidungsväter zeigen, dass es sinnvoll ist, Erwerbs- und Familienarbeit möglichst ausgewogen zu verteilen: Nach einer Trennung leben die Kinder meist bei dem Elternteil, der sich hauptsächlich um sie gekümmert hat – und das ist nach dem »klassischen« Modell die Mutter. So verlieren viele Väter deshalb nach einer SCHEIDUNG den intensiven Kontakt zu ihren Kindern.

So tappen Sie nicht in die Falle

→ Wenn Sie sich für die »klassische« Aufgabenverteilung entschieden haben: Sehen Sie Ihre Entscheidung nicht als unumstößlich an.

Sprechen Sie andere Modelle durch, etwa dass Ihre Partnerin nach einer »AUSZEIT« zurück in den Beruf geht und Sie zu Hause bleiben oder dass Sie beide je zur Hälfte in Elternzeit beziehungsweise Karenz gehen. Die Elternzeitregelung hilft dabei, dass für Sie beide aus einer beruflichen Auszeit keine »Rauszeit« werden muss!

- Planen Sie nicht für die Ewigkeit. Kinder wachsen schnell, und Ihre Situation kann sich auch verändern – etwa durch Arbeitslosigkeit. Wie gut, wenn Ihre Frau dann für den Familienunterhalt sorgen kann!
- Überlegen Sie, ob ein aufwändiger Karrieresprung im ersten Lebensjahr Ihres Kindes wirklich sein muss. Nehmen Sie sich Zeit für Ihre KARRIERE ALS VATER und genießen Sie diese.
- Überdenken Sie Ihr Arbeitspensum. Falls Sie Ihre berufliche Situation ändern möchten, sprechen Sie am besten so früh wie möglich mit Ihrem Chef. Bereiten Sie sich auf dieses Gespräch gut vor. Überlegen Sie, was Sie erreichen möchten, und gehen Sie mit konkreten Lösungsvorschlägen in das Gespräch.
- Strecken Sie teure Pläne für die Familie. Es muss nicht alles auf einmal angeschafft oder realisiert werden. Das entlastet Sie nicht nur finanziell, sondern auch psychisch. Das Haus, das neue Auto – all das kann zweifellos das Familienglück vergrößern. Das Projekt »Zeit für Baby und Familie« können Sie jedoch nicht aufschieben.
- Bringen Sie Ihren Wunsch nach PARTNERSCHAFTLICHER VERTEILUNG der Arbeit in Beruf und Familie ins Gespräch mit Ihrer Frau. Dabei können folgende Themen eine Rolle spielen:
  - Wer betreut wann das Kind/die Kinder?
  - Wer übernimmt welche Aufgaben im Haushalt?
  - Wie viel Geld brauchen Sie zum Lebensunterhalt und für Zukunftspläne, und wer soll und kann welchen Anteil des nötigen Geldes erwirtschaften?
  - Wer ist wann und wie viel berufstätig?
  - Ist eine Aufteilung der Elternzeit oder Teilzeitarbeit möglich?

Interview mit Dr. Peter Döge, Politikwissenschaftler und Leiter des Instituts für anwendungsbezogene Innovations- und Zukunftsforschung, zu Vereinbarkeitsproblemen von Vätern.

In einer Untersuchung[8] haben Sie Väter befragt, die in Elternzeit waren. Was hätten sich diese gewünscht?

Um Familie und Beruf besser zu vereinen, möchten Väter ihre Berufstätigkeit öfter für bestimmte Zeiten unterbrechen. Und: Viele würden gern permanent etwa 30 Stunden in der Woche arbeiten.

Wie reagieren Arbeitgeber auf die Wünsche dieser Väter?

Nach wie vor stoßen familienorientierte Männer auf Hindernisse im Betrieb! Die Führungsetagen scheinen zwar aufgeschlossen. Die Probleme bestehen eher mit den direkten Vorgesetzten am Arbeitsplatz. Unverständnis, sogar Mobbing von Kollegen und unmittelbaren Vorgesetzen kommen leider vor.

Sind familienorientierte Väter beruflich im Nachteil gegenüber Nicht-Vätern?

Leider ja! Alle von uns befragten Männer nehmen Karrierenachteile wahr.

Sollten Arbeitgeber und/oder die Politik Väter mehr unterstützen als bisher?

Ja. Sinnvoll wäre zunächst die Verbesserung der finanziellen Rahmenbedingungen der Elternzeit. Außerdem bräuchten wir eine Veränderung der »Anwesenheitskultur« im Betrieb. Hierin liegt das größte Hindernis für familienorientierte Männer. Denn Leistung wird immer noch mit Anwesenheit gleichgesetzt. Das ist aber falsch, ja sogar unproduktiv fürs Unternehmen! Die Politik könnte da etwas tun. Unternehmen, die ihren Beschäftigten mehr Arbeitszeitflexibilität bieten, zum Beispiel auch durch Telearbeit, könnten Auszeichnungen erhalten.

Welche Ratschläge würden Sie engagierten Vätern geben, etwa gegenüber Arbeitgebern/Chefs/Vorgesetzten?

Sie sollten sich nicht entmutigen lassen, wir brauchen Pioniere! Denn wir wissen: Wenn ein Mann beginnt, die Elterzeit zu nutzen, dann zieht bald der zweite nach. Auch die Betriebs- und Personalräte sollten stärker berücksichtigen, dass Männer Familie und Beruf vereinbaren wollen.

Erfahrungsbericht

Frank, 35, 2 Kinder:

Ich habe im Rahmen der Elternzeitregelung meine volle Stelle um die Hälfte reduziert. Neulich war ich an einem Freitagmorgen im Supermarkt. Zusammen mit meinen Kindern habe ich den Wochenendeinkauf gemacht. Wir trafen einen Bekannten. Zur Begrüßung fragte er mich: »Hallo, Frank! Na, hast du heute auch frei?« »Nicht wirklich«, sagte ich. »Ich schmeiße heute den Haushalt, wie auch die restliche halbe Woche …«

Elterngeld und Elternzeit – Neue Chancen für Väter!

Seit 1. Januar 2007 gilt in Deutschland das **ELTERNGELDGESETZ**. Für 12 beziehungsweise 14 Monate (wenn auch der Partner mindestens zwei Monate lang in Elternzeit geht) werden 67 Prozent des vorherigen Nettogehaltes durch das staatliche Elterngeld bis zu einer Höchstgrenze von 1800 Euro ersetzt.

Anspruch auf **ELTERNGELD** haben Väter und Mütter, die ...

- ihre Kinder nach der Geburt selbst betreuen und erziehen,
- nicht mehr als 30 Stunden in der Woche erwerbstätig sind,
- mit ihren Kindern in einem Haushalt leben und
- ihren Wohnsitz in Deutschland haben.

Maßgebend für die **HÖHE DES ELTERNGELDES** ist das Nettoeinkommen der letzten zwölf Kalendermonate vor der Geburt des Kindes. Nicht erwerbstätige Elternteile erhalten einen Sockelbetrag von 300 Euro, der nicht auf andere Sozialleistungen angerechnet wird.

Ein Elternteil kann höchstens für zwölf Monate Elterngeld beantragen. Anspruch auf zwei weitere Monate haben Eltern dann, wenn auch der andere Elternteil mindestens zwei Monate lang in Elternzeit geht.

Die AUFTEILUNG kann aber auch anders als »Zwölf plus zwei Monate« erfolgen. Nimmt etwa der Vater zwei Monate Elternzeit, wenn das Baby ein halbes Jahr alt ist und die Mutter geht wieder arbeiten, dann hat die Familie das volle Nettogehalt der Mutter und als Elterngeld 67 Prozent des Nettoeinkommens des Vaters zur Verfügung.

Die Elterngeldregelung bietet weitere WEITER KOMBINATIONSMÖGLICHKEITEN. So haben Sie – in Unternehmen mit mehr als 15 Arbeitnehmern – den Anspruch, Ihre Arbeitszeit auf 15 bis 30 Wochenstunden zu verringern. Vater und Mutter können auch zeitgleich Elternzeit nehmen und gleichzeitig bis zu 30 Wochenstunden pro Person arbeiten.

Einen Überblick über weitere Kombinationsmöglichkeiten, einen »ELTERNGELDRECHNER«, den Antragsweg sowie aktuelle Broschüren zum Thema finden Sie im Internet (Web-Adressen unter »Kind, Geld, Karriere« → Seite 173). Informationsquellen zu entsprechenden Regelungen in Österreich und der Schweiz finden Sie ebenfalls im Anhang (→ Seite 174).

Die Tatsache, dass das Elterngeld 67 Prozent des Gehaltes ersetzt, bietet NEUE CHANCEN FÜR VÄTER: Denn das frühere Erziehungsgeld, das etwa 300 Euro monatlich betrug und das zudem an enge Einkommensgrenzen geknüpft war, reichte in den meisten Fällen nicht aus, um das Gehalt des oft mehr verdienenden Vaters zu ersetzen. Obwohl viele Väter es gern getan hätten, mussten sie auf einige Wochen oder Monate exklusive Zeit für ihr Kind verzichten. Das hat sich geändert. Zudem ist die Elterngeldregelung auch ein Signal an die Arbeitgeber: Mütter wie Väter haben einen Rechtsanspruch darauf.

Erfahrungsbericht

Stephen, 43, 6 Kinder:

Ich arbeite als Systemanalytiker in einem EDV-Großunternehmen mit 300 Mitarbeitern. 1999 wollte ich meine Arbeitszeit reduzieren und flexibler gestalten. Es war nicht schwierig, eine gute Lösung zu vereinbaren. Ich habe meinem Chef meine Situation beschrieben und meinen Wunsch konkret geäußert. Mein Chef fand mein Anliegen in Ordnung und hat mich unterstützt.

Ich arbeite 32 Stunden in der Woche, davon 50 Prozent als Telearbeit von zu Hause aus. Meine tägliche Arbeitszeit beträgt genau sechs Stunden und 24 Minuten. Ich bin jeden Morgen um 8 Uhr 15 in der Firma. Drei bis vier Stunden arbeite ich im Büro. Dann hole ich die Kinder von der Schule ab und bringe sie in den Hort. Nachmittags logge ich mich dann zu Hause an meinem Schreibtisch ins Firmennetz ein und arbeite weiter.

Mit den Kollegen und in der Abteilung geht das alles völlig unproblematisch: Ich bin jeden Tag in der Firma. Alles Wichtige können wir täglich besprechen. Und zu Hause bin ich telefonisch und per E-Mail ständig erreichbar.

Wir haben das mit der Arbeitszeit und der Telearbeit klipp und klar vertraglich vereinbart. Missverständnisse hat es nie gegeben. Ich bin immer noch sehr geschätzt in der Firma, bei Kollegen und Vorgesetzten.

Zufriedene Väter: ein Gewinn fürs Unternehmen!

Einer großen betriebswirtschaftlichen Studie[9] zufolge profitieren Unternehmen langfristig von familienfreundlichen Massnahmen. Spezialisierte Unternehmensberater versuchen mit diesem Wissen im Hinterkopf, Firmen für mehr Väterfreundlichkeit zu gewinnen.

Argumente für Ihre Gespräche mit Vorgesetzten und Kollegen

- Väter, die Familie und Beruf besser vereinbaren können, sind besonders motivierte Mitarbeiter. Sie gehen lieber zur Arbeit, schätzen ihre Firma mehr – und leisten deshalb auch mehr.
- Sorgenfreie Väter sind konzentrierter und deshalb **LEISTUNGSFÄHIGER**. Flexible Arbeitszeiten tragen dazu bei.
- Väter erwerben im Umgang mit ihren Kindern wichtige Fähigkeiten, die ihnen im Beruf zu Gute kommen: »soft skills« – die sogenannten »Schlüsselqualifikationen« und Führungskompetenzen: Sie müssen Wichtiges von Unwichtigem unterscheiden, schnell **PRIORITÄTEN SETZEN** und entscheiden. Ein Beispiel: Ihr Kind schreit. Sie müssen schnell herausfinden, was die Ursache ist. Hat das Kind Schmerzen, hat es Hunger, ist es müde? Zügige Analyse, gegebenenfalls mittels eines einfühlsamen Interviews, ist gefragt, und dann schnelles, lösungsorientiertes Handeln.
- Väter, die sich auch zu Hause engagieren, können sich besser auf mehrere Dinge gleichzeitig konzentrieren. Wer den Tag mit Kindern verbringt, ist fast ständig mehrfach gefordert.
- Väter vergrößern zu Hause ihre »**EMOTIONALE INTELLIGENZ**«. Im Umgang mit Ihrem Kind ist ständig Empathie gefragt, also die Fähigkeit, sich in einen anderen Menschen einzufühlen.

Sobald der Geist auf
ein Ziel ausgerichtet ist,
kommt ihm vieles entgegen.

[Johann Wolfgang von Goethe | *deutscher Dichter (1749–1832)*]

Zusammengefasst: Mit flexibleren Arbeitszeitlösungen und einer väterfreundlichen Firmenkultur können »WIN-WIN-LÖSUNGEN« erzielt werden: Mitarbeiter und Unternehmen gewinnen.

So schaffen Sie Zeit für Ihr Kind

Zeitfenster festlegen

Zum Zeitmanagement gehört, Wichtiges von Unwichtigem zu unterscheiden, das heißt, Prioritäten zu setzen. Geben Sie der ZEIT FÜR IHR KIND eine hohe Priorität. Am besten machen Sie dafür drei rote Ausrufezeichen im Terminkalender. Aber wann? Schauen Sie sich Ihren Wochen- und Monatsplan an. Sie kennen Ihre Arbeitswoche mit ihren Rhythmen, festen Terminen, den Trubelphasen … Dann wissen Sie auch, wann weniger los ist und wann Sie flexibler sind.

Wenn Sie an zwei Arbeitstagen in der Woche zur gängigen Feierabendzeit das Büro verlassen können: Wunderbar! Dann markieren Sie diese Termine für einige Wochen im Voraus klar und eindeutig. Schreiben Sie den Namen Ihres Kindes in das Zeitfenster. Wenn Sie regelmäßig nur an einem Tag in der Woche ein solches Fenster markieren können – auch gut!

Äußern Sie Ihre väterlichen Interessen auch im Betrieb. Sprechen Sie mit Ihren Kollegen – zum Beispiel in der Mittagspause – darüber, was Sie mit Ihren Kindern gern unternehmen, und dass Sie gern mehr Zeit mit ihnen verbringen würden. Sie werden schnell feststellen, dass Sie mehr Verbündete haben, als Sie geglaubt hätten. Das ist der erste Beitrag zu einer VÄTERFREUNDLICHEREN ARBEITSKULTUR.

Die Woche entschlacken

Verabschieden Sie sich jetzt von Dingen, die ohnehin nur Ballast für Sie waren. Sie werden froh sein, sich von ungeliebten Zeitfressern trennen zu können, und es gibt keinen besseren Grund als diesen: »Ich möchte mehr Zeit für meine Familie, für mein Kind haben.« Das versteht jeder.

Wenn Sie noch die ehrenvolle Aufgabe des Kassierers im Schützen- oder Musikverein innehaben: Erklären Sie jetzt feierlich den Verzicht auf dieses Amt. Oder steht vielleicht in Ihrer Garage immer noch die 1985er Moto Guzzi, die Sie seit Jahren versuchen flott zu kriegen? Ziehen Sie ihr eine Plastikplane über – schon haben Sie eine Last weniger und **MEHR ZEIT FÜR IHR NEUES HOBBY**.

Exklusive Zeit schaffen – nur für Papa und Kind

Das geht besonders gut, wenn Sie mit Ihrem Kind regelmäßig zu einem festen Termin zu einer organisierten Veranstaltung gehen. Zum Beispiel samstagvormittags zu einem Vater-Kind-Treff, zum Babyschwimmen oder zu einem anderen festen Termin. Exklusive Zeit für Sie allein mit Ihrem Kind **STÄRKT IHRE BEZIEHUNG ZUEINANDER**, und Sie entwickeln noch mehr Alltagsroutine.

Vereinbarungen einhalten, ohne dogmatisch zu werden

Kinder brauchen **VERLÄSSLICHKEIT**. Ihr Kind hat ein gutes Zeitgefühl, auch wenn es die Uhr noch nicht lesen kann. Wenn Sie zugesagt haben, gleich nach der Arbeit nach Hause zu kommen, dann erwartet es Sie sehnsüchtig. Wenn Sie also gerade gehen wollen und ein Kollege Sie schnell noch um einen kleinen Gefallen bittet – dann bitten Sie ihn um Verständnis: Sie sind mit Ihrem Kind verabredet!

Sicher gilt es auch hier nach Wichtigkeit zu unterscheiden: Das Gespräch mit Ihrem Chef über die anstehende Gehaltserhöhung kann durchaus ein Grund sein, kurz zu Hause anzurufen, um zu sagen, dass es etwas später wird.

Aktive Väter
brauchen Erholung

Väter kleiner Kinder sind stark belastet. Viel Arbeit, möglichst viel Zeit für die Familie, viel Engagement im Haushalt: Väter (wie Mütter) schaffen dies alles nur, indem Sie auf Schlaf verzichten – und auf Freizeit. Sorgen Sie deshalb für AUSGLEICH.

- Wenn Sie Sport treiben, sollte ein- oder zweimal in der Woche joggen oder Rad fahren, ein Volleyball- oder Fußballtraining drin sein.
- Viel Action mit einem kleinen Kind kann den Rücken stark belasten. REGELMÄSSIGES TRAINING Ihrer Rücken- und Bauchmuskulatur beugt Schmerzen und Wirbelsäulenschäden vor.
- Zeiten für Sport und Hobbys sollten Sie mit Ihrer Partnerin auf Gegenseitigkeit vereinbaren. Räumen Sie ihr das Gleiche ein – wiederum eine Chance für Sie, allein mit Ihrem Kind etwas zu unternehmen oder abends ein paar Dinge im Haushalt zu erledigen.
- Nicht nur die eigene Freizeit schafft Erholung: Schaffen Sie sich auch Möglichkeiten für »ZEIT ZU ZWEIT«. Wenn Ihr Kind schläft, nutzen Sie die Chance, und verabreden Sie mit einer zuverlässigen Babysitterin, möglichst »auf Abruf« bereit zu sein. Endlich mal wieder ins Kino oder nett essen gehen, das tut Ihrer Partnerschaft enorm gut.
- Behalten Sie auch Ihr »SOZIALES NETZWERK« im Blick. Treffen Sie sich gelegentlich mit guten Freunden. Überlegen Sie, wer Ihnen in Ihrer knappen Zeit besonders wichtig ist. Wenn Ihre Freunde auch Väter sind, dann haben Sie für den Rest Ihres Lebens eine nie versiegende Quelle für gute Gespräche. Denn: Väter bleiben immer Väter, genauso wie Kinder immer Kinder bleiben …

UND: EIN AUSGEGLICHENER VATER HAT NOCH MEHR SPASS AM LEBEN MIT SEINEM KIND.

Kopiervorlagen

Partnerschaftliche Aufgaben- und Zeitverteilung

Kopieren Sie diese Tabelle bitte zweimal und tragen Sie und Ihre Partnerin dann wie auf Seite 148/149 beschrieben jeweils Ihre Namen und die Stunden, die Sie vor der Schwangerschaft und rund zehn Wochen nach der Geburt für die unten aufgezählten Tätigkeiten veranschlagen, ein.

Ihr Name: ....

Tätigkeitsbereiche	Zeit in Stunden a) vor der Schwangerschaft	b) 10 Wochen nach der Geburt
Haushalt (Putzen, Kochen, Bügeln, Auto waschen, Gartenarbeit, Reparaturen ...)		
Schlafen & Ausruhen (Tages- oder Nachtzeit)		
Erwerbsarbeit (Arbeitszeit, Weg zur Arbeit ...)		
Freizeit (Persönliches Vergnügen, Sport, Erholung)		
Partnerschaft (gemeinsame Aktivitäten)		
Kind/Kinder (alles das, was vorwiegend auf Ihr Kind bezogen ist/sein wird)		

Zeitdiagramme

Kopieren Sie die Seite mit den Diagrammen dreimal. Tragen Sie und Ihre Partnerin wie auf Seite 148/149 beschrieben in je eine Kopie getrennt voneinander die Zeiteinheiten aus der Tabelle oben in Farbe gemäß der Beschriftung A ein. Vergleichen Sie Ihre Planungen für die Zeit nach der Geburt. Sind Sie mit dem gemeinsamen

Ergebnis zufrieden? Wenn nicht, setzen Sie sich zusammen und füllen Sie die dritte Kopie gemeinsam aus – gemäß der Beschriftung B.

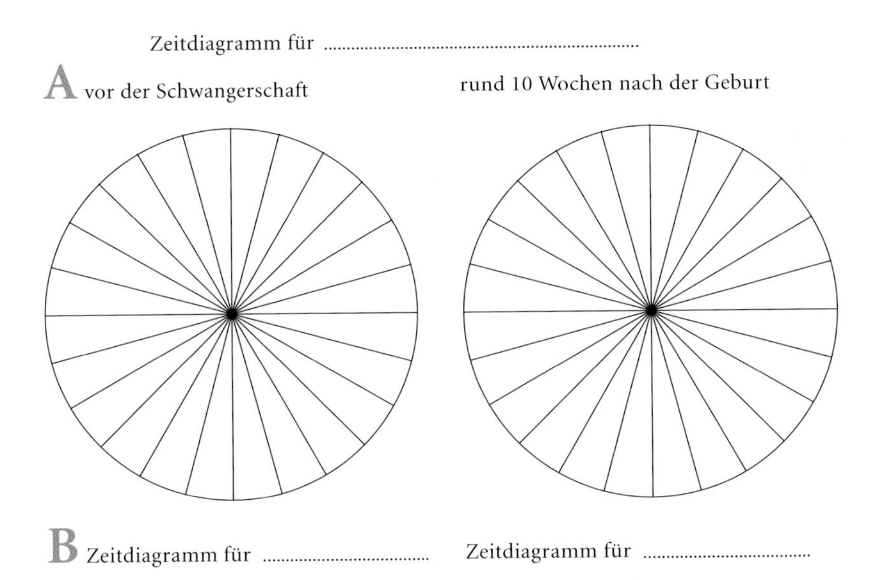

Quellenverzeichnis

1 Petzold, 2004, in Knaurs Handbuch Familie, Hrsg. Fthenakis, Wassilios und Textor, Martin
2 Petzold, 2004, in Knaurs Handbuch Familie, Hrsg. Fthenakis, Wassilios und Textor, Martin
3 Die folgenden Hinweise verdanken wir Tina Juhl, Psychologin am Reichshospital/Universitätsklinikum Kopenhagen, Dänemark.
4 Fthenakis, Wassilios u.a. 2002: Paare werden Eltern
5 Gottman, John M. 2002: Die 7 Geheimnisse der glücklichen Ehe
6 BMFSFJ – Bundesministerium für Familie, Senioren, Frauen und Jugend 2004: Bericht zur Elternzeit – Zusammenfassung – Auswirkungen der §§ 15 und 16 Bundeserziehungsgeldgesetz, 16.06.2004
7 Fthenakis, W. E. 1999: Engagierte Vaterschaft. Die sanfte Revolution in der Familie. Leske und Budrich Verlag
8 Döge, Peter 2004: Auch Männer haben ein Vereinbarkeitsproblem. Untersuchung über Väter in Elternzeit. Berlin
9 Prognos AG 2004: Betriebswirtschaftliche Effekte familienfreundlicher Maßnahmen, Studie für das Bundesfamilienministerium

Bücher und Adressen, die weiterhelfen

Bücher

Väter

Ballnik, P.: *Das Papa-Handbuch für Kinder ab 3;* GRÄFE UND UNZER VERLAG

Gesterkamp, T., *Die neuen Väter zwischen Kind und Karriere. So kann die Balance gelingen;* Budrich Verlag

Ochs, M./Orban, R., *Familie & Beruf. Work-Life-Balance für Väter;* Beltz

Richter, R./Verlinden, M., *Vom Mann zum Vater – Praxismaterialien für die Bildungsarbeit mit Vätern*; Juventa

Schäfer, E./Abou-Dakn, M. /Wöckel, A., *Vater werden ist nicht schwer? Zur neuen Rolle des Vaters rund um die Geburt;* Psychosozial-Verlag

Thomä, D., *Väter. Eine moderne Heldengeschichte;* Hanser Verlag

Walter H., *Vater, wer bist du? Auf der Suche nach dem »hinreichend guten« Vater;* Klett-Cotta

Schwangerschaft und Geburt

Gebauer-Sesterhenn, B./ Villinger, Dr. med. T., *Schwangerschaft und Geburt*; GRÄFE UND UNZER VERLAG

Höfer, S./Szász, N., *Hebammen-Gesundheitswissen für Schwangerschaft, Geburt und die Zeit danach;* GRÄFE UND UNZER VERLAG

Laue, B., *1000 Fragen an die Hebamme;* GRÄFE UND UNZER VERLAG

Nilsson, L: *Das Wunder des Lebens. Faszination Liebe* (DVD)

Nitsch, C., *Vornamen – von beliebt bis ausgefallen;* GRÄFE UND UNZER VERLAG

Stadelmann, I., *Die Hebammensprechstunde;* Stadelmann (als Buch und DVD)

Wiesenauer, Dr. med. M./ Knapp, S., *Homöopathie für Schwangerschaft und Babyzeit;* GRÄFE UND UNZER VERLAG

Erste Zeit mit Baby

Bloemeke, V. J., *Alles rund ums Wochenbett*; Kösel

Cramm, D. von, Schmidt, Prof. Dr. E., *Unser Baby, das erste Jahr*; GRÄFE UND UNZER VERLAG

Hüther, Prof. Dr. G./ Nitsch, C., *Wie aus Kindern glückliche Erwachsene werden;* GRÄFE UND UNZER VERLAG

Kunze, P./Keudel, Dr. med. H., *Schlafen lernen – Sanfte Wege für Ihr Kind*; GRÄFE UND UNZER VERLAG

Laimighofer, Dr. A., *Babyernährung*; GRÄFE UND UNZER VERLAG

Largo, R. H., *Babyjahre – Die frühkindliche Entwicklung aus biologischer Sicht*; Piper

Leach, P., *Die ersten Jahre deines Kindes*; dtv

Pulkkinen, A., *PEKiP: Babys spielerisch fördern*; GRÄFE UND UNZER VERLAG

Seßler, S., *Mein Baby (Babykalender für die ersten 12 Monate)*; GRÄFE UND UNZER VERLAG

Soltner, A. J., *Auch kleine Kinder haben großen Kummer – Über Tränen, Wut und andere starke Gefühle*; Kösel

Voormann, C./Dandekar, Dr. med.G., *Babymassage*; GRÄFE UND UNZER VERLAG

Spiele und Lieder

Bliesener, K., *Meine ersten Kinderlieder*; Ravensburger

Janosch, *Das große Buch der Kinderreime*, Beltz

Partnerschaft und Sexualität

Gesterkamp, T., *Gutesleben.de – Die neue Balance von Arbeit und Liebe*; Klett-Cotta

Gottman, J., *Die 7 Geheimnisse der glücklichen Ehe*; Ullstein

Tillmetz, E./Themessl, P., *Eltern werden – Partner bleiben*; Kösel

Zeitschriften

Switchboard – Zeitschrift für Männer- und Jungenarbeit, www.maennerzeitung.de

Ökotest – www.oekotest.de

Links Deutschland

Schwangerschaft, Geburt und 1. Lebensjahr

www.hebammenverband.de *und* www.bfhd.de: *Hebammensuche, Schwangerschaft, Eltern werden und sein*

www.familienplanung.de/wissenswertes-fuer-maenner: *Augewählte Themen rund um die Familienplanung für Männer, von der Bundeszentrale für gesundheitliche Aufklärung*

www.geburtskanal.de: *umfassende Infos zu Familie, Familienplanung, Schwangerschaft, Geburt und Leben mit Kindern*

www.gfg-bv.de: *Infos zu Geburtsvorbereitungskursen und Eltern-Kind-Angeboten*

www.geburtshaus.de: *Geburtshäuser in Deutschland*

www.bzga.de: *Infomaterial, Broschüren zu Schwangerschaft, Geburt, erste Zeit mit Kind*

www.familienhandbuch.de: *Hilfe in allen Familienfragen*

www.liewensufank.lu: *Information und Begleitung werdender Eltern rund um die Geburt*

www.pekip.de: PEKIP *(Prager Eltern-Kind-Programm), Regionale Ansprechpartner und Gruppenangebote*

www.schatten-und-licht.de: *Infos zu Wochenbettdepressionen*

Kind, Geld, Karriere

www.familien-wegweiser.de: *Informationsportal des Bundesfamilienministeriums*

www.familie.dgb.de/pdf/zwischen.pdf: *Zwischen Meeting und Masern: Vereinbarkeit von Beruf und Familie – ein Thema auch für Männer (Broschüre der Gewerkschaft ver.di)*

www.mittelstand-und-familie.de: *Balance von Beruf und Privatleben in kleinen und mittleren Unternehmen*

Väter, Vater-Kind-Angebote

www.papa-institut.de: *Website des Autors Eberhard Schäfer - Konzepte für gute Vaterschaft*

www.vaeterbildung.de: *Website des Autors Robert Richter - Tipps und Anregungen für Väter, Familien und Arbeitgeber* www.vaeterzentrum-berlin.de *Information und Beratung für Männer und Väter*

www.vaeter.de: *Viele Informationen und Anregungen, Tipps, Adressen von Beratungsstellen, Termine für Väter (Schwerpunkt Hamburg, aber auch bundesweit)*

www.vaeterblog.de: *Aktuelles zu Väterthemen und -politik*

Kindschafts-, Sorgerecht & Co.

www.bmfsfj.de: *Schlagwortsuche „Kindschaftsrecht"*

Sonstiges

www.ingeb.org: *Lieder mit Text und Melodie*

Die »Papa-Bücherliste«: 300 Bücher-Tipps und mehr für aktive Väter und Großväter auf www.vaeterbildung.de

Adressen und Links Österreich:

www.men-center.at: *Männergesundheitszentrum Wien*

www.bmsk.gv.at/: *„Service für männerspezifische Anliegen" in der Rubrik „Männer" unter „BürgerInnen" und „Fachpublikum"*

www.junge-vaeter.at: *Online-Kurs für werdende Väter*

www.hebammen.at: *Hebammenhilfe und Elternwerden und -sein*

www.vaeterkarenz.at: *Väterkarenzberatung der Wirtschaftskammer Wien*

Links Schweiz:

www.hebammen.ch: *Schwangerschaft, Geburt und Hebammenleistungen*

www.avanti-papi.ch: *Väterangebote*

www.fairplay-at-work.ch und www.und-online.ch: *Hilfen zur Vereinbarkeit von Beruf und Familie*

www.vaetertag.ch: *Infoseite zum Vätertag in der Schweiz*

www.fritz-und-fraenzi.ch: *Elternzeitschrift mit partnerschaftlichem Ansatz*

www.maenner.ch: *Dachverband der Schweizer Männer- und Väterorganisationen*

www.maenner.org: *Eingangsportal zur Männerarbeit Schweiz inklusiveVäterarbeit*

www.gesunde-maenner.ch: *Plattform Männergesundheit*

www.vaeternetz.ch: *Fachleute in der Väterarbeit*

Register

A/B

C/D/E

F/G

Impressum

Projektleitung
Reinhard Brendli
Lektorat
Angela Hermann-Heene

Titelfoto
Iconica

Illustrationen
Heidemarie Vignati

Syndication:
www.jalag-syndication.de

Umschlaggestaltung und Layout
independent Medien-Design, Horst Moser, München
Herstellung
Susanne Mühldorfer
Satz und Repro
Uhl + Massopust, Aalen
Druck und Bindung
Druckhaus Kaufmann, Lahr

ISBN 978-3-7742-6975-0

7. Auflage 2010

Wichtiger Hinweis

Die Gedanken, Methoden und Anregungen in diesem Buch stellen die Meinung beziehungsweise Erfahrung der Verfasser dar. Sie wurden von den Autoren nach bestem Wissen erstellt und mit größtmöglicher Sorgfalt geprüft. Dennoch können nur Sie selbst entscheiden, ob die hier geäußerten Vorschläge und Ansichten auf Ihre eigene Lebenssituation übertragbar und für Sie beziehungsweise Ihr Kind passend und hilfreich sind. Keinesfalls bieten diese jedoch Ersatz für eine kompetente medizinische oder therapeutische Beratung. Weder Autoren noch Verlag können für eventuelle Nachteile oder Schäden, die aus den im Buch gegebenen praktischen Hinweisen resultieren, eine Haftung übernehmen.

Ein Unternehmen der
GANSKE VERLAGSGRUPPE

Unsere Garantie

Alle Informationen in diesem Ratgeber sind sorgfältig und gewissenhaft geprüft. Sollte dennoch einmal ein Fehler enthalten sein, schicken Sie uns das Buch mit dem entsprechenden Hinweis an unseren Leserservice zurück. Wir tauschen Ihnen den GU-Ratgeber gegen einen anderen zum gleichen oder ähnlichen Thema um.

Liebe Leserin und lieber Leser,

wir freuen uns, dass Sie sich für ein GU-Buch entschieden haben. Mit Ihrem Kauf setzen Sie auf die Qualität, Kompetenz und Aktualität unserer Ratgeber. Dafür sagen wir Danke! Wir wollen als führender Ratgeberverlag noch besser werden. Daher ist uns Ihre Meinung wichtig. Bitte senden Sie uns Ihre Anregungen, Ihre Kritik oder Ihr Lob zu unseren Büchern. Haben Sie Fragen oder benötigen Sie weiteren Rat zum Thema? Wir freuen uns auf Ihre Nachricht!

Wir sind für Sie da!
Montag – Donnerstag: 8.00 – 18.00 Uhr;
Freitag: 8.00 – 16.00 Uhr
Tel.: 0180-5 00 50 54*
Fax: 0180-5 01 20 54*
E-Mail: leserservice@graefe-und-unzer.de
*(0,14 €/Min. aus dem dt. Festnetz/Mobilfunkpreise maximal 0,42 €/Min.)

P.S.: Wollen Sie noch mehr Aktuelles von GU wissen, dann abonnieren Sie doch unseren kostenlosen GU-Online-Newsletter und/oder unsere kostenlosen Kundenmagazine.

GRÄFE UND UNZER VERLAG
Leserservice
Postfach 86 03 13
81630 München